CHASSE À L'HOMME

ÉDITIONS LA PEUPLADE
339b, rue Racine Est
Saguenay (Québec)
Canada G7H 1S8
www.lapeuplade.com

DISTRIBUTION POUR LE CANADA
Diffusion Dimedia

**DIFFUSION ET DISTRIBUTION
POUR L'EUROPE**
CDE-SODIS

DÉPÔTS LÉGAUX
Bibliothèque et Archives
nationales du Québec, 2020
Bibliothèque et Archives
Canada, 2020

·

Les Éditions La Peuplade reconnaissent
l'aide financière du gouvernement
du Canada pour ses activités d'édition
et remercient le Conseil des arts du
Canada, la Société de développement
des entreprises culturelles du Québec
(SODEC) et le gouvernement du Québec,
par l'entremise du Programme de crédit
d'impôt pour l'édition de livres du Québec
(gestion SODEC), du soutien accordé
à son programme de publication.

CHASSE À L'HOMME

Sophie Létourneau

LA PEUPLADE **RÉCIT**

À M.-A.
Rendez-vous au Waldorf-Astoria

On présente souvent l'autofiction comme un mélange de vérité et de mensonge. C'est faux. L'autofiction n'est pas un cocktail. La représentation de la réalité et de la fiction importe moins que la performance par laquelle l'écrivain.e se met en danger. Le geste par lequel il ou elle engage son corps, ses proches, sa vie (sa mort).

.

Cette histoire a commencé quelques fois déjà. Elle s'est terminée plus souvent encore. Chaque fois que je l'ai écrite, croyant la fin venue, une révélation faisait tout dérailler. Comme un spasme, une irruption du réel, une protestation. Alors je reprenais l'écriture, sachant que c'était une histoire qui n'en finirait jamais d'arriver.

La première fois que j'ai écrit ce livre, il avait pour titre *Le petit Français*. J'avais vingt-huit ans, j'habitais à Montréal. Je l'ai abandonné après que Sophie Calle m'a volé mon idée. La deuxième fois que j'ai écrit ce livre, il avait pour titre *Chanson française*. J'avais toujours vingt-huit ans, j'habitais désormais à Paris. Je l'ai abandonné après avoir rencontré non pas un, mais deux petits Français. La troisième fois que j'ai écrit ce livre, il avait pour titre *Chasse à l'homme*. J'avais trente-trois ans, j'habitais à Québec. Je l'ai abandonné après que tu t'es reconnu dans la description donnée de l'homme de ma vie.

MONTRÉAL

Il y a eu une sorte de supercherie littéraire,
mais cela ne doit pas cacher ce qui constitue
l'essentiel, à savoir qu'un romancier est un homme
ou une femme qui mène plusieurs vies.

— BERNARD PIVOT,
PARLANT DE ROMAIN GARY

Longtemps j'ai refusé qu'on m'aime. Pas que je ne m'en croyais pas digne. Tout le monde mérite d'être aimé. C'est plutôt que je ne voyais pas l'amour des autres. Cet amour-là, celui qu'on me porte, je ne sais toujours pas le nommer.

.

Comme l'amour, l'avenir est d'abord une histoire que l'on se raconte. Une projection vers l'avant. À vingt-huit ans, ces deux dis-positions dont je m'étais coupée – l'amour et l'avenir –, j'en suis devenue curieuse.

.

L'histoire a commencé, j'amorçais la dernière année de mon doctorat en études françaises à l'Université de Montréal. La soutenance à l'horizon, mon entourage s'enquérait de ce que je ferais une fois ma thèse achevée.

.

Je m'étais inscrite au baccalauréat au sortir d'une dépression qui avait duré quelques années. Ce retour à l'école avait marqué mon retour à la normalité. C'était une manière comme une autre de m'occuper l'esprit. De passer le temps. De ne pas sombrer. De chercher un sens dans la littérature à défaut d'en trouver un à ma vie.

.

La perspective de boucler mes études universitaires avait ceci de terrifiant que j'approchais la fin du monde connu. Comme un voilier avant Magellan, l'horizon m'était un vide dans lequel basculer. Quand on me demandait ce que je ferais après le doctorat, je ne tentais même pas une pirouette. Je bafouillais. Or, les gens aiment les histoires qui se terminent bien, c'est-à-dire celles qui ont une fin. En général, les gens sont aristotéliciens.

.

À vingt-huit ans, j'ai voulu que la terre soit ronde. Mon avenir, un nouveau continent. Tania m'avait parlé d'une cartomancienne. J'ai eu l'idée de la consulter. À la question de mon avenir, je répondrais en me basant sur l'histoire que m'aurait racontée la voyante.

.

Dans les dernières années de ma thèse, j'étais célibataire. Contrairement au flou qui entourait mon avenir professionnel, ce suspens dans ma vie sentimentale n'inquiétait pas mes proches. J'étais libre. Tout pouvait m'arriver.

.

En espagnol, on dit des gens mariés qu'ils sont *casados*. Dans ce mot, j'entends la maison (*casa*) et la case (*casés*). Je vois les mariés bien rangés, à leur place. Leur maison, un pigeonnier.

.

Petite, quand on jouait au papa et à la maman, je demandais à être la grande fille. Sitôt le jeu commencé, j'enfourchais ma bicyclette et filais dans le boisé derrière chez moi. La solitude et la liberté : c'était cela, pour moi, être une grande fille.

.

À vingt-huit ans, je ne m'étais jamais perdue dans l'autre. Jamais abîmée. Ce qu'on appelle *tomber en amour*, cela ne m'était pas vraiment arrivé.

.

J'avais fréquenté, bien sûr, bon nombre de garçons. La relation terminée, je me rendais toujours à La Boîte Noire emprunter trois films et, ce faisant, retirer à mes ex le droit d'utiliser ma carte d'abonnée.

.

La consolation que les films m'apportaient se doublait d'un rituel, car je ne faisais réellement le deuil de notre histoire qu'au moment où le commis s'informait si le deuxième nom inscrit au compte était encore valide.

.

Lorsque je demandais qu'il soit effacé, le commis désirait savoir s'il y en avait un autre pour le remplacer. La question me semblait toujours précipitée. « Pas tout de suite, non, je préfère rester célibataire. »

.

Un jour, le nom de mon ex est réapparu à mon dossier. À nouveau, je l'ai fait effacer. La fois suivante, c'était le nom du garçon que j'avais aimé avant lui. Et la fois d'après, celui de mon tout premier amoureux. À rebours, un nom après l'autre, mes ex ont défilé dans l'ordinateur du club vidéo. Quelqu'un me jouait-il un tour ? Ou était-ce simplement mon passé qui revenait me hanter ?

.

J'ai souhaité fort qu'une fois le compte à rebours terminé, l'ordinateur me révèle le nom de mon prochain amoureux. J'ai été déçue. Il est pourtant entendu que les boîtes noires n'ont de mémoire que pour les désastres.

.

Après cet épisode, je me suis demandé ce qu'ils avaient en commun, les garçons que j'avais aimés.

•

Des boucs noirauds, des barbichettes noisette, des barbes de trois jours – souvent sept – éparses et blondes, des barbes fournies, marron grillé et châtain.

•

J'avais un *pattern* : la pilosité faciale. Pour éviter une autre catastrophe, je me suis promis qu'à l'avenir, je fuirais les barbus.

•

L'année d'avant, le triangle du visage de Cécilia Sarkozy, ses yeux d'eau et la ligne de ses lèvres impitoyablement droite étaient à la une de tous les magazines. Le 11 octobre, *Paris Match* titrait : « Cécilia sort de l'ombre ». Le 20, la première dame de France annonçait son divorce en couverture du *Elle*. Au retour des fêtes, on verrait un autre minois de chat tapisser les kiosques à journaux. Le *pattern* de Nicolas Sarkozy : un visage félin.

•

C'est ma grand-mère qui la première a imaginé celui qu'on a d'abord appelé *le prochain*.

.

« Le prochain, avait dit ma grand-mère, prends-le pas à l'école. Prends-le à Paris. » Elle aurait aimé que je lui amène un petit Français, « comme Nicolas Sarkozy », elle disait.

.

Ma grand-mère souhaitait que ce petit Français ait un grand-père avec qui elle jouerait à la pétanque. Et le soir, sous les platanes, tous deux regarderaient les « machines » passer.

.

Il y avait eu deux hommes et un chat dans la vie de ma grand-mère. J'ai peu connu Paul-Émile, je ne disais jamais *grand-papa* : il était le père de ma mère et ma mère l'appelait *papa*. Dans ma mémoire, je le confonds souvent avec René Lévesque : la fumée, les cheveux, la maigreur et les yeux délavés.

.

Après la mort de Paul-Émile, ma grand-mère a rencontré Émile sur un banc devant la boutique Naturalizer des Galeries Chagnon. Il a emménagé chez elle avec son *lazyboy* en velours cordé iridescent. Après la mort d'Émile, elle a refusé de fréquenter d'autres hommes.

.

Suivant ma grand-mère dans sa fabulation, mes proches se sont mis en tête de m'envoyer sur le Vieux Continent afin que je trouve en France l'amour. Je doutais du succès de l'entreprise. Mais je savais une chose : il ne m'arriverait rien si je restais à Montréal.

.

Je dirais que je suis partie pour des raisons *narratives*.

.

À Paris, j'aimerais lire le journal au comptoir d'un café. Flâner dans les parcs, à la bibliothèque. Me balader à vélo. Toutes ces choses qui à Montréal ne me faisaient croiser que des *bonhommes*, comme disait ma grand-mère.

.

La cinquième fois que j'ai écrit ce livre, j'avais loué un appartement qui donnait sur un ancien garage de la rue Marie-Anne dont l'enseigne, voilà dix ans, promettait RÉPARATION.

.

À l'époque, j'étais pétrie d'un sentiment de culpabilité. Je voulais tout réparer.

.

Des garages entre deux maisons, des lave-autos à la main, des shops d'entretien de vélo, des commerces dont les services reposent sur le maniement d'outils, Ameublement Elvis, les barbiers, les cordonniers, les quincailleries, la sociabilité de quartier, les chaises roulantes électriques dont le fanion orange claque au vent. C'était cela, pour moi, Montréal.

Combien de fois ai-je écumé les allées du RONA de la rue Rachel flanquée d'un commis au regard appuyé ? « Essaie-le et reviens *n'importe quand.* »

Je suis une fille de la classe ouvrière. J'ai toujours vu mon père en bleu de travail. Mécanicien de chantier, il avait ses cartes de la construction. Quand je suis partie de la maison, à dix-neuf ans, il m'a acheté une boîte à outils et fait don de ses dollars Canadian Tire.

Mon amie Madeleine dit souvent qu'en amour comme aux puces, les trouvailles s'envolent vite. Qu'au Québec, les filles apprennent tôt à rafistoler. Qu'on leur donne un garçon avec un bon fond, même si quelque chose cloche, elles en tireront le meilleur.

Pour mignons qu'ils étaient, les commis de la quincaillerie ne connaissaient que la longue perche de la double entente. « Est-ce qu'il y a *autre chose* que je pourrais faire pour toi ? » Il revenait à la fille de les inviter à poser une tablette dans leur salon. Je ne le faisais pas.

.

Madeleine appelle *drague molle* la contribution québécoise au jeu de la séduction. L'homme fait une avance oblique que la femme ignore sans toutefois le blesser puisqu'elle pourrait ne pas avoir compris l'intention. L'homme préserve son honneur et la femme passe pour garce ou pour gourde.

Moi je passe pour gourde.

.

Cela me vaut des leçons de professeurs de cégep, d'université. « Tu sais, Sophie, que les hommes veulent coucher avec toi ? »

.

Ce droit de cuissage m'a toujours écœurée. Parce que ce sont les mêmes hommes qui séduisent les filles, qui fustigent le travail des femmes – les livres *de fille*.

.

À Paris, il suffirait de me trouver seule pour qu'un homme m'aborde. C'est ce que les Françaises appellent *la drague à l'italienne*. Quand j'entends l'expression, c'est le visage de Marcello Mastroianni qui m'apparaît.

.

Je suis toujours sidérée que mes amies se montrent bouleversées parce qu'un homme s'est avisé de leur dire qu'elles sont jolies.

L'amour d'un seul homme, c'est tout l'amour qu'une femme serait en droit d'espérer ? Moi je dis de l'amour d'un homme que ce n'est qu'un *début*.

.

Ma grand-mère disait aussi : « Tu mérites mieux, Sophie. »

Cette jouissance d'être l'objet de regards qu'on prête aux filles, je ne l'ai jamais éprouvée. J'ai toujours préféré être celle qui observe, qui s'émeut, qui désire. Comme enfant je n'aimais pas qu'on me chatouille, qu'on m'agace, j'ai longtemps cru que la séduction m'ennuyait. La vérité est que je suis écrivaine : il suffit d'un trait d'esprit pour que je me prête au jeu.

.

Boulevard Voltaire, je jette un œil à ma montre. Un type que je ne connais pas arrive vers moi, essoufflé. « Ouf ! Désolé de t'avoir fait attendre. » Il est mignon, il me tend son bras. « Alors on y va ? »

.

On ferait *comme si* on se connaissait.

.

Au Père-Lachaise, un autre m'aborde, un plan du cimetière à la main : « Voudriez-vous, mademoiselle, chercher avec moi les tombes d'hommes célèbres ? »

.

On n'attendrait pas que l'histoire arrive : on l'imaginerait.

.

À vingt-huit ans, je me suis dit que je n'avais rien à perdre.

.

Ma mère avait dit : qu'il s'appelle Christophe. Et Christophe s'est mis à exister. Madeleine avait ajouté : qu'il porte le veston. On voyait le petit Français s'habiller. On le disait ingénieur. Mon père voulait qu'il soit bel homme. Le voilà qui l'était. Isabelle, parisien. Cela allait de soi. Par boutade, Martin avait précisé : né dans le Pas-de-Calais. Catherine insistait pour qu'il ne soit pas radin. Tania souhaitait qu'il soit plus vieux que moi. Malcolm : qu'il me coure après. Cela me convenait.

Un désir se complétant d'un trait, le portrait du petit Français s'était dessiné. De l'avis de tous, c'était un type plutôt sympathique, réservé, plein d'humour et avec un accent qu'on prenait plaisir à moquer gentiment. Un jour, je me suis mis en tête de le rencontrer.

.

On ferait *comme si* le petit Français existait. On dirait que je le chercherais. On dirait que je suis une fille qui cherche l'amour à Paris. Un cliché, je sais, que j'embrasserais sur la bouche. Je le pousserais jusqu'à ce qu'il cède, exaspéré. Je ferais *comme si*, mais je le ferais *pour de vrai*. Ce serait la faille et la beauté de ce projet. De cette histoire remâchée, un jour, je dirais qu'elle m'était arrivée.

.

C'était un tour de force inutile, une performance insensée. Je n'attendais pas de l'amour qu'il donne un sens à ma vie. Je n'espérais aucun profit. Je connaissais les hommes, leur cynisme. Les plus gentils qualifieraient ce livre de *bonbon*.

•

La différence entre les hommes et les femmes, c'est que les hommes s'étonnent quand on ne les aime pas.

•

Non, je me lancerais dans cette quête romantique pour la beauté du geste.

•

Mes amours de jeunesse avaient pour nom Réjean Ducharme, Federico García Lorca et Bernard-Marie Koltès. Un reclus, deux morts, trois écorchés. Ma vérité.

•

Nous devions faire un exposé sur la vie de notre héros. Tous les élèves avaient choisi de parler d'un suicidé : Kurt Cobain pour les autres, Romain Gary pour moi.

•

Combien de fois Romain Gary avait-il fait la démonstration que la littérature l'emportait toujours sur la réalité ? La démesure de l'affaire Ajar m'enchantait autant que le fait que cet épisode ait suivi une vie remplie au cours de laquelle Romain Gary avait incarné chacun des héros de roman – militaire, diplomate, écrivain, homme à femmes – dont sa mère avait rêvé.

.

Incapable d'imaginer un monde *autre*, la pensée dépressive est farouchement réaliste. Lucide, c'est-à-dire pessimiste. À vingt-huit ans, je souhaitais une autre vérité : j'avais envie de jouer du réel en le pliant à ma volonté.

.

On aurait tort, disait Paul Pavlowitch, de voir dans la performance de Romain Gary un canular adressé au milieu littéraire. Ce serait plutôt « une percée dans l'absolu », « un élan de création », « quelque chose de nouveau », « un record du monde ».

·

Dans mon journal, on lit : *Je veux écrire un livre sérieusement frivole. Me saisir d'une thématique loin de moi, éperdue. D'un cliché, une femme qui cherche l'amour à Paris, faire un livre bizarre. Un album aux entrées multiples, quelques artefacts, anecdotes disparates, portraits et objets trouvés. Montrer l'intelligence derrière le désir d'être aimée.*

·

J'avais étudié en littérature pour donner un sens à ma vie. Ce projet me permettrait de lui donner une forme : celle d'un livre.

·

On trouve dans le premier livre de Tania une fille qui part, un couteau et deux chats nommés Madrid et Séville.

·

Dans l'un de ses débuts, cette histoire commence avec un chat.

•

ça commençait toujours comme ça
par un espacement du tissu
entre les lacets
juste là, robe jaune
« safran » qu'elle disait
la plaçant devant elle
pour corriger l'image
et je portais sitôt
une main à ma chemise
l'autre sur sa bouche
— TANIA LANGLAIS

•

Sur la quatrième de couverture de *Douze bêtes aux chemises de l'homme*, Tania Langlais a dix-neuf ans. Elle porte ses cheveux longs et un trait noir sur la paupière comme une épine plantée dans le regard d'yeux tristes. Mystérieuse, souriante, mais inquiète. Belle à mourir.

•

Kennedy léchait sa patte, dos tourné, sur l'étagère. Tania lui permettait tout. Elle l'embrassait, yeux fermés, en l'assurant que oui, elle l'aimait, qu'il était un bon chat.

.

Alors que je consacrais mon été à lire *À la recherche du temps perdu*, Tania m'incitait plutôt à lire *Comment penser chat*.

.

> *Comment savoir qu'un chat vous envoie des signaux, comment les interpréter et comment lui répondre ? Comment éviter les ravages auxquels il se livre dans l'appartement ? Un chat peut-il être jaloux, et comment cela se manifeste-t-il ? Peut-on dresser son chat ?*
> — PAM JOHNSON-BENNETT

.

Mon amie a glissé *Comment penser chat* dans ma sacoche qui traînait près de la porte d'entrée. C'était le premier geste qu'elle posait depuis qu'elle s'était mis en tête de me caser. « Envoye donc, un ti-menou ! »

.

À l'animalerie Paul, le chaton était si petit qu'il tenait dans ma main. J'ai vite senti la pointe de ses griffes traverser les mailles de mon chandail et le voile de mon soutien-gorge. Je me demandais s'il m'avait choisie ou si les problèmes commençaient. « Les deux », dirait Tania.

Parce que le pelage blanc de son ventre lui faisait une camisole, je l'appellerais Marcel.

.

C'était l'été après le baccalauréat. Je ne travaillais pas : je lisais *La Recherche*, j'écrivais *Polaroïds* et j'éditais *« Je suis le méchant ! »*

.

Catherine Mavrikakis m'avait commandé, comme Queneau à Duras, d'écrire tout un été, de ne faire que cela.

.

Sur la photographie en quatrième de couverture de *Deuils cannibales et mélancoliques*, on la sent sur ses gardes, jaugeant le lecteur du coin de l'œil. Menaçant de s'envoler s'il s'approche de trop près.

Peuplé de garçons séropositifs nommés Hervé, en hommage à Guibert, le premier livre de Catherine est une autofiction ancrée dans les années où l'on mourait du sida. L'histoire se déroule dans le milieu universitaire montréalais, où défilent des professeurs et des étudiants âgés de vingt-trois ans que Catherine, la narratrice, exècre, vomit et renie.

Moi, mes morts jouent à cache-cache avec moi. Ils sont là pour mieux disparaître et les revoilà plus tard, mais sous une autre forme que je n'arrive pas à comprendre. De là ma passion des signes et de l'interprétation. Je cherche les morts, dans chaque repli de ma vie et je ne veux pas rater le moment où ils se manifestent. J'ai des antennes partout.
— CATHERINE MAVRIKAKIS

L'autofiction s'écrit au présent, parce que l'écriture se poursuit dans la réalité une fois le livre publié.

Catherine était petite, les cheveux noirs et les paupières colorées. En classe, elle éclatait souvent d'un rire joyeux étonné, se drapait de vestes, portait beaucoup de violet, couleur du demi-deuil, et des talons hauts.

Ses anciens étudiants racontaient qu'elle se rappelait toutes les dates d'anniversaire et rangeait ses livres en exhibant la tranche plutôt que l'épine, une affectation qui m'évoquait Morticia Addams préparant un bouquet de roses, coupant la fleur, gardant la tige.

·

L'autofiction dit : ce qui se passe dans le livre ne restera pas dans le livre. Ce que vous lisez sera bientôt inoculé dans la réalité.

·

Le matin, j'écrivais mes petites histoires, des souvenirs d'enfance, des scènes aigresdouces. Si mes parents n'avaient pas sorti l'appareil pour immortaliser la fois où j'avais failli me noyer, j'en gardais cependant une image vive, que je voulais capter dans une certaine lumière.

·

J'envie cette liberté que j'avais d'écrire en croyant que personne ne me lirait, en même temps que je plains cette fille qui vivait comme si personne ne l'aimait.

·

> *Sophie Létourneau, universitaire, la vingtaine. Délicate et impitoyable. Ne dit pas un mot, mais n'en pense pas moins.*
> — WAJDI MOUAWAD

·

L'après-midi, je travaillais sur le manuscrit d'un livre d'entretiens entre Wajdi Mouawad et André Brassard qui s'intitulerait « *Je suis le méchant !* ». Pour l'un : les mémoires d'un grand homme. Pour l'autre : les souvenirs d'une jeune femme.

·

Parfois, je me demande à quel point le travail sur un livre a influencé l'écriture de l'autre. Le fait, par exemple, que je n'aie jamais cru opportun de changer les noms dans mon livre de souvenirs. Ou que la vulnérabilité dont fait preuve le grand homme, je l'aie adoptée, moi, une jeune femme de vingt-trois ans, sans honte. Sans non plus anticiper qu'une fois le livre publié, je m'en sentirais coupable, « méchante ».

.

Au printemps, chaque semaine, j'avais accompagné Wajdi Mouawad chez André Brassard. Je me rappelle la pluie qui tombait fort et parfois la neige sur le pare-brise de sa Mini. En route, Wajdi parlait toujours avec la douceur d'un après-midi d'été. Il s'enquérait souvent de ce qui composait ma vie : mes lectures, mes amis, mes ambitions. Ma grande confusion.

Wajdi m'a dit que mes soucis venaient de ce que je ne maîtrisais pas encore mes pouvoirs. « Tu es une sorcière, tu sais ça ? » Je ne le savais pas.

.

Le jour de la rentrée, je me suis rendue au Ritz pour le lancement de « *Je suis le méchant !* ». Wajdi Mouawad se trouvait en Europe. Sur place, André Brassard était bien entouré. Moi, je buvais une flûte de mousseux en gardant un œil sur les petites bouchées.

Un garçon que je connaissais est venu me parler. Nous avons quitté le Ritz pour nous rendre dans un restaurant. J'étais affamée. Puis il m'a invitée chez lui pour un thé. J'allais partir quand il m'a tirée par les jambes sur le plancher.

Depuis je ne reste jamais longtemps dans les lancements.

.

Quand les témoignages de celles qui avaient porté plainte contre Jian Ghomeshi seraient publics, un homme me dirait ne pas comprendre pourquoi ces femmes avaient continué à le fréquenter. Cela me semblait une évidence : personne ne veut avoir été violé. Les victimes non plus. « Si j'avais été agressée, j'aurais pour réflexe de me convaincre moi-même que ce n'était pas un viol. »

En prononçant ces mots, je me suis aperçue que c'était exactement ce que j'avais fait. Pour la première fois, j'ai pleuré. Et j'ai pleuré en riant comme à l'époque, j'étais rentrée chez moi prise d'un fou rire. Ce qui s'était passé était tellement invraisemblable que je m'étais dit que cela ferait *une bonne anecdote*.

.

Men are afraid that women will laugh at them.
Women are afraid that men will kill them.
— MARGARET ATWOOD

.

Deux ans plus tard, Normand de Bellefeuille m'inviterait à dîner dans un restaurant du Vieux-Port. Les serveurs veillaient sur lui sans oser me regarder, pensant manifestement à un rendez-vous galant. Normand, railleur : « Les gens ne s'imaginent pas que les jeunes femmes *aussi* écrivent des livres. »

.

Quand Tania avait publié *Douze bêtes*, on disait que ce livre ne pouvait être l'œuvre d'une femme aussi jeune. Il ne faut rien comprendre aux jeunes femmes pour penser qu'elles ne connaissent pas la douleur.

.

Comme tout le monde, je ne me suis jamais intéressée aux femmes jusqu'à ce qu'à vingt-six ans, je découvre que j'en étais une. Comme tout le monde, moi aussi, je voulais être un grand homme.

.

La plus belle ruse des hommes est de persuader les femmes que l'amour n'existe pas. C'est ainsi qu'ils le gardent pour eux. Quelle femme oserait comme les hommes affirmer qu'il est ridicule de vouloir être aimée ?

.

Je n'écris pas d'ailleurs pour les jeunes filles, mais pour les hommes, des lettrés.
— GUSTAVE FLAUBERT

.

On dit souvent de Roland Barthes qu'il aimait les femmes en robe. La vérité est qu'il aimait les garçons.

.

À l'automne, Québec Amérique publierait *Polaroïds*. Normand me demandait de rester à Montréal pour répondre aux questions des journalistes, signer des exemplaires au Salon du livre, montrer mon visage dans les lancements. Cela me semblait farfelu. Je préparais alors une thèse sur Roland Barthes. Je m'apprêtais à m'enfermer trois mois dans le deuxième sous-sol de la Bibliothèque nationale de France, où je ne lirais que des auteurs décédés.

.

Épluchant le cinquième tome des œuvres complètes de Roland Barthes, j'ai sauté de ma chaise quand mes yeux se sont posés sur le nom de Julia Kristeva. Je n'avais pas vu l'ombre d'une femme dans mes lectures depuis des années. De fait, je ne lisais que de vieux messieurs.

Normand disait que la publication change-
rait ma vie. Je ne comprenais pas. Pour moi,
la littérature était un exercice de télépathie
avec les morts. Même si je l'étudiais, je
croyais que la littérature n'existait pas *pour
de vrai*.

.

Tout était arrangé pour que je parte en
France. Malgré cela, j'ai accepté de repousser
mon séjour d'un an. Je l'ai regretté. Quelques
jours après le lancement de *Polaroïds*, mon
amoureux mettait fin à notre relation et un
ami me menaçait d'un procès. Cela n'inquiétait pas mon éditeur, qui avait déjà publié les
mémoires d'un délateur de la mafia.

.

L'idée du livre avait germé dans un cours de
Carole David au cégep. Nous devions écrire
une histoire à partir d'un fait divers. J'avais
choisi une girafe qui s'était échappée du zoo.
La girafe, c'était moi.

À ma naissance, ma chambre était meublée d'une étagère de livres pour enfants et d'un lit à barreaux dont je m'échappais la nuit en quête de liberté. Je me hissais par-dessus les barreaux et je rampais jusqu'à ce que mon front se heurte à la porte d'entrée de l'appartement où nous vivions.

·

J'ai tiré du lancement de *Polaroïds* quelques leçons. La première : la littérature *arrive*. La deuxième : on lance un livre comme on tire un boulet de canon. La troisième : le réel est une matière dangereuse.

Et aussi : j'aurais mieux fait de partir à Paris.

·

Choses que je croyais uniques à ma famille, que je retrouverais en France : les tartines de Nutella, les meubles Roche-Bobois, *À l'ombre des jeunes filles en fleurs*, les planches de charcuteries, des robes imprimées à pois, les camisoles Petit Bateau, « Mistral Gagnant » et toutes les Sophie.

Quand j'écrirais à Sophie Calle, elle ne me répondrait que parce que nous partagions un prénom.

.

« Sophie » était un prénom aussi peu commun que les films de Claude Sautet que ma mère m'emmenait voir au cinéma l'après-midi. Je me rappelle courir dans l'allée bordée de lumières, puis retrouver ma mère et poser ma tête sur ses cuisses en contemplant dans le jour de deux sièges le visage d'Yves Montand.

.

Pour me guider dans cette enquête sur l'amour et l'avenir, je n'avais qu'un modèle : Sophie Calle.

.

Ma mère me dit souvent que les écrivains ont la chance de pouvoir transformer le malheur en beauté. Selon elle, les choses ne m'arrivent pas *pour rien*.

.

On peut dire de Sophie Calle qu'elle perfectionne l'art de la rupture. De son mariage raté, elle a fait un film et quelques histoires vraies. *Douleur exquise*, un de mes livres préférés, est né d'un homme qui l'a laissée en plan à New Delhi en raison d'un ongle incarné, qui l'aurait empêché de voyager. À la Biennale de Venise, elle a tiré une exposition, *Prenez soin de vous*, d'une lettre de rupture, qu'elle avait reçue, qu'elle a fait interpréter par une centaine de femmes.

.

Qu'en est-il des écrivaines ? J'ai parfois l'impression qu'on exige des femmes le tribut de leurs souffrances – comme s'il ne pouvait sortir de vrai de la bouche d'une femme que l'expression d'une féminité mortifiée – que l'on s'empressera d'ailleurs de leur reprocher.

.

Il n'y a pas de suicide dans ce livre, pas d'homicide, pas de prostitution, pas d'inceste, pas de sexe, pas de sida, pas de cancer, pas de maladie mentale – si on oublie l'ombre de la dépression. Moi, je ne l'oublie pas.

.

L'exposition a été présentée à la DHC, dans le Vieux-Montréal. En lisant la lettre de la mère de Sophie Calle, la mienne s'est reconnue en elle.

.

> *On quitte, on est quitté, c'est le jeu, et pour toi cette rupture pourrait devenir le terreau d'une manifestation artistique, non ?*
> — RACHEL MONIQUE SZYNDLER CALLE PAGLIERO GONTHIER SINDLER

.

Lors de la période de questions qui a suivi la présentation de l'artiste, j'ai demandé si tout cela, l'errance, les ruptures, les blessures qu'on s'inflige et celles dont on guérit, les projets qu'on mène et ceux qu'on ne réussit pas, si tout cela, l'œuvre, en valait la peine ?

Le silence était long. Ses yeux plantés dans les miens, Sophie Calle considérait ma question. La salle s'impatientait. Sans s'expliquer, elle a finalement répondu oui.

.

Au sortir de l'exposition, ma mère m'a donné l'argent pour un billet d'avion à destination de Paris. Quand bien même je ne rencontrerais pas de petit Français, je reviendrais, disait-elle, avec la matière d'un livre.

.

Il y a toujours eu cette idée qu'avec le prochain amoureux viendrait le prochain livre.

.

J'ai accepté son cadeau. Mais je ne voulais pas d'un livre de blessure. Pour le prochain, j'avais envie d'un livre d'euphorie. Une histoire vraie, mais tournée vers le futur plutôt que vers le passé. Une histoire *à suivre*. Une histoire que je poursuivrais afin de l'écrire.

.

Aujourd'hui cette histoire m'apparaît surannée. Ma grand-mère est décédée. Le chat de Tania aussi. J'ai les cheveux gris argent. Et Montréal et le monde ont changé. Ce livre du futur est désormais une créature du passé. *Rétro*, je dirais.

.

À l'époque, j'avais le sentiment que l'avenir était encore loin. En me rendant à Paris chercher le petit Français, je me disais que je passerais le temps en le poursuivant.

Je me voyais traquer des indices. Questionner des gens. Tout ficher, cataloguer. Suivre les pistes dans l'espoir que l'une d'elles me mènerait à celui que je ramènerais à la maison en disant : c'est lui. C'est lui, le petit Français. Mon futur amoureux, celui dont vous rêviez. Lui, que j'ai poursuivi, que j'ai trouvé.

Et la littérature l'aurait emporté sur la réalité.

.

Cette histoire a commencé au moment où je l'ai suivie.

.

À Paris, désœuvrée, sans amis, Sophie Calle filait des inconnus croisés dans la rue.

.

Un jour de canicule, je lisais, tête penchée, dans un square du Vieux-Port, quand j'ai senti la présence d'un homme.

.

Pour ne pas céder à la dépression, Sophie Calle se laissait porter par la trajectoire, le désir d'une autre personne qu'elle.

.

L'inconnu me dévisageait en marchant lentement. J'ai baissé les yeux et, comme je les relevais, il s'est retourné une dernière fois avant de bifurquer au coin de la rue.

.

Elle notait ses déplacements dans un carnet et, avec sa caméra, elle photographiait ses sujets.

.

Il ne portait pas de barbe et il avait disparu.

.

Dans un vernissage, Sophie Calle croiserait un homme qui lui avait échappé le jour même. C'est un signe, penserait-elle.

.

Je me suis levée et je suis partie dans sa direction.

.

Apprenant qu'il séjournerait à Venise, elle a décidé de le suivre.

.

Il avait la tenue d'un homme d'affaires en vacances. Dans un kiosque, il s'est arrêté pour acheter une crème glacée. Il a tâté ses poches, sorti une poignée de monnaie et tendu sa main à l'employé, qui a fait le compte pour lui. Un étranger, me suis-je dit.

.

Parce qu'il ne me semblait pas français, je suis revenue sur mes pas. J'avais résolu d'atterrir à l'aéroport Charles-de-Gaulle le même jour qu'un écrivain américain (six pieds deux pouces, deux cents livres) se suiciderait.

.

David Foster Wallace s'est pendu le 12 septembre 2008, laissant derrière lui le manuscrit mis au propre de son troisième roman, une lettre et la lampe du garage allumée.

.

Je ne prendrais pas l'avion ce jour-là car la compagnie d'aviation ferait faillite. Que voilà un mauvais présage, ai-je pensé. Mon départ annulé, je me suis demandé s'il ne valait pas mieux abandonner ma quête romantique.

De toutes les anecdotes entourant David Foster Wallace, ma préférée est celle qui veut qu'il a rédigé le manuscrit d'*Infinite Jest* dans un cahier Calinours. Le reste est moins glorieux. C'était un grand homme qui lançait la table du salon à la tête de sa copine, l'écrivaine Mary Karr, un grand écrivain incapable d'imaginer un protagoniste de sexe féminin, un professeur qui disait être né pour mettre son pénis dans le vagin de ses étudiantes. Mais on dit souvent de lui qu'il était un génie.

.

La faillite de Zoom Airlines avait rappelé la cartomancienne à mon souvenir. J'avais mis de côté l'idée de la consulter pour qu'elle me raconte ce qui m'arriverait après le doctorat. J'avais une nouvelle raison, encore plus pressante, de prendre rendez-vous avec elle. J'avais fait un pari avec moi-même. Si j'étais destinée à rencontrer l'amour à Paris, je me procurerais un deuxième billet. Si elle ne m'en parlait pas, je ferais avorter ma mission. Et tant pis pour le livre que je me promettais d'écrire à mon retour de France.

·

La première chose que la voyante m'a dite, c'est que je n'avais rien à faire chez elle : je devais être en France. Elle a ajouté que si je ne partais pas rapidement, je le manquerais. J'ai fait l'innocente. Elle s'est moquée de moi : elle parlait, bien sûr, du petit Français.

·

Elle a dit qu'elle savait que moi aussi je l'entendais. Me l'a décrit exactement comme je le voyais, sa veste d'ingénieur et son visage rousselé. Comme si ma famille n'avait pas inventé son air insolent, mais bien mis. Reste qu'elle avait raison : je l'entendais souvent. Mais comme Jeanne d'Arc, je préférais ignorer mes voix et filer ma laine.

·

Les Bourguignons l'appelaient « la putain des Armagnac ». Les Armagnac la surnommaient « la pucelle d'Orléans ». Fait cocasse : Jeanne s'adressait au roi de France en disant « Gentil Dauphin ».

．

On ferait *comme si* le petit Français existait.
Et il apparaîtrait.

．

Alors que Jeanne était emprisonnée, Étienne
de Vignolles, son compagnon d'armes,
tenta de la libérer. Il échoua et fut capturé.
Il figure aujourd'hui le valet de cœur sur les
cartes à jouer.

．

Un personnage existe-t-il du moment qu'on
l'imagine ? « C'est lui », la voyante a-t-elle
affirmé en pointant le sept de carreau.

．

Voici ce que la voyante me révélerait du
petit Français : il aurait deux accents, je le
rencontrerais lors d'une fête et nous irions
en Asie.

．

Elle racontait cela d'un air triste, la romance, la bohème. Je ne comprenais pas pourquoi. Du bout des lèvres, elle m'a conseillé de ne rien attendre de l'homme aux deux accents.

.

Je ne partais que trois semaines, ai-je pensé. Encore heureux si je le trouvais, ce petit Français ayant grandi dans un autre pays. (Elle ne savait pas lequel.)

La voyante a relevé la tête. En novembre, je partirais à Paris. Je trouverais un appartement. Et je ne rentrerais pas.

Moi qui n'avais jamais eu l'intention de me marier avec un type que mes proches avaient inventé, j'ai pensé que ce petit projet prenait les proportions d'un roman.

.

Avant de consulter la cartomancienne, le petit Français m'amusait. Mais après qu'elle m'en eut parlé, il m'était d'autant plus nécessaire de le trouver que cette chasse à l'homme me semblait invraisemblable. Et longue. Et fastidieuse. (Trouver un appartement à Paris ? Déménager en France ?)

Ce n'était plus un jeu. Et cela me plaisait. J'étais d'autant plus déterminée à faire en sorte que cette histoire *devienne vraie*.

. .

J'allais quitter son bureau quand elle m'a demandé ce qui s'était passé à New York. Dans mes souvenirs, je vois : un groupe scolaire, un défilé de blousons de jeans, un piano à queue au McDonald's de Wall Street, des fariboles à la boutique Warner Bros., une provision de soupes instantanées, le vent frais du printemps sous mon manteau à Washington Square, rien de particulier. En détachant chacune de ses syllabes, elle a répété : « Que s'est-il passé à New York ? »

.

Je suis allée à New York avec l'école secondaire, j'avais des Airwalk aux pieds et dans mon sac à dos s'empilaient les flyers que je ramassais dans les magasins de disques. Avec ma meilleure amie, on s'était promis un party rave, on n'avait pas prévu que notre motel serait situé à une heure d'autoroute, dans le New Jersey.

J'ai secoué la tête. Rien, il ne s'était rien passé à New York. Il ne m'était rien arrivé, sauf une grippe carabinée qui avait exaspéré le garçon dont je m'étais entichée.

·

Je suis allée à New York avec le département d'études anglaises, j'avais jeté mon dévolu sur un anglophone aux cheveux fous. On aurait dit Bob Dylan, une chemise fripée et des jeans moulants. Il connaissait la ville comme un vieux matou ses ruelles. Il savait repérer des choses que la plupart d'entre nous ne remarquaient pas : une brocante, une pizzeria qui ne paie pas de mine, un fleuriste, un magasin de bonbons, un café où l'on entrait comme j'aurais soulevé le pan d'un rideau pour découvrir un monde que je croyais ne plus exister.

·

Pas lui, la voyante disait. Un autre.

·

Je suis allée à New York, je participais à un colloque organisé par des étudiants de l'Université Columbia. Il n'y avait personne dans le hall quand j'ai poussé la porte de la Maison française. J'ai accéléré le pas lorsque je l'ai vu, tout vêtu de blanc, la veste *sharkskin*, le pantalon cigarette et les souliers, un complet ivoire surmonté de lunettes noires.

Il était grand, plus grand que moi, des boucles brunes, une barbe paresseuse et un visage qu'on voulait embrasser. Il avait des traits taillés, mais quelque chose d'aimable et de brillant dans le regard, une intensité adolescente, une chaleur et une intelligence qui le rendaient attachant. Il était mon idéal masculin.

Une vedette de la pop doublée d'un proustien.

.

Il ne s'était rien passé avec David Macklovitch, mais la voyante répétait sa question d'une voix lente, suave, comme pour m'hypnotiser. Je ne savais vraiment pas. Elle s'est levée et m'a prise dans ses bras.

•

J'ignore toujours ce qui s'est passé à New York.

•

Le jour de son anniversaire de mariage avec Sissi, François-Joseph déclarait la guerre à la Serbie. Pendant ce temps, boulevard Haussmann, Marcel Proust faisait couper le téléphone afin d'achever *À la recherche du temps perdu*.

•

Quand il n'y a plus de temps, c'est le silence.
Il lui fallait ce silence, pour n'entendre
que les voix qu'il voulait entendre, celles qui sont
dans ses livres.
— CÉLESTE ALBARET

•

Proust exigeait de Céleste qu'elle lui apporte au réveil : une cafetière, un bol, un pot de lait, un sucrier, une assiette et un croissant sur un plateau d'argent.

À sa demande, Céleste se rendait chez les fournisseurs de sa mère se procurer une chose qui lui rappelait son enfance : de la gelée de groseilles, un cornet de frites ou une glace à la fraise. Le reste du temps, Marcel Proust ne mangeait que très peu. On peut dire qu'il se nourrissait essentiellement du passé.

.

S'il m'est facile de dire : cela est arrivé à Montréal, à Tokyo, à Paris, en revanche, je peine à situer la période à laquelle cette histoire appartient. Je sais que les années 2000 sont loin derrière. Que politiquement, le contexte n'est plus le même. Que les mœurs ont changé. Mais pour moi, j'ai toujours l'âge auquel cette histoire m'est arrivée.

.

La première fois que je l'ai consultée, la voyante prédisait que l'on verrait bientôt sur l'écran de notre ordinateur ceux à qui l'on téléphonerait.

Quand il me parle de ses livres, Mathieu Arsenault me dit toujours l'âge qu'il avait lorsqu'il les a écrits, toujours en décalage par rapport à l'âge qu'il avait lorsqu'il a vécu l'intensité racontée.

.

Skype viendrait après le début de cette histoire. Et les téléphones portables, Facebook, Tinder, l'ouverture de La Grande Bibliothèque, la fermeture de La Boîte Noire.

.

Nos conversations portent souvent sur l'âge que nous avons que nous ne partageons pas avec ceux qui ont notre âge, l'âge que nous avions à vingt ans que n'ont pas ceux qui ont vingt ans aujourd'hui, l'âge que nous aurons que d'autres voient en nous déjà.

.

La dernière fois que je l'ai vu, il portait des lunettes noires, un t-shirt, des jeans gris

serrés et des bottillons à semelles com-
pensées. La toute première fois aussi. Je
me rappelle son visage singulier caché par
ses lunettes. Une grande timidité en même
temps qu'une grande assurance, qui lui permettait de transformer une conversation
de bar en cours donné à l'université.

.

Je n'ai pas peur de mourir j'ai seulement peur
de manquer de temps pour finir ma phrase
pas articulable trouver chaque mot trouver
chaque geste que je déteste pour arriver à penser
le mouvement de m'écraser sur le plancher et
de rien faire pour une heure sans les devoirs sans
les notes sans la pression sens-moi comme
je sens bon dans mon corps froid d'activité sur
le plancher de ma classe sous mon bureau sous
ma maison quand tout s'écroule sur ma tête
duck and cover avec une fille que j'aimerais on
aurait une petite maison avec un petit chat qui
miaulerait et on ferait rien à trente ans comme
à seize mort de froid et de faim mais je n'arrive
à rien la grammaire est trop forte qui me retient
sur ma chaise sous les fluorescents.
— MATHIEU ARSENAULT

C'était avant que les Français découvrent le Plateau Mont-Royal. Ils étaient encore si rares que lorsqu'on en croisait, Tania disait que je les attirais.

.

La première fois que je suis allée à la Grande Bibliothèque, je suis tombée sur Mathieu, qui m'a demandé si je lisais des auteurs québécois. Des contemporains, des livres de la saison, ce qui se faisait autour de moi.

.

L'anglophone s'enquérait souvent de l'endroit où se retrouvaient les écrivains québécois. Sa naïveté me faisait sourire. J'avais plusieurs amis auteurs, mais je voyais dans l'idée que les écrivains se fréquentent un cliché sorti de Saint-Germain-des-Prés.

.

Une fois, nous nous sommes retrouvés, Mathieu et moi, sur le rocher près duquel l'eau tombe en cascade au parc La Fontaine. Je surveillais d'un œil l'arbuste derrière lequel l'anglophone s'était planqué pour nous espionner. *Un chat peut-il être jaloux, et comment cela se manifeste-t-il ?*

.

La première fois que j'ai poussé la porte du Port de tête, j'étais sur le point de partir à Paris. Martin me disait que la réponse du chaland à l'ouverture de la librairie semblait enthousiaste et racontait avec un certain étonnement que la semaine précédente, ils avaient accueilli un lancement.

.

Sans doute Mathieu m'avait-il parlé de toi. Je ne me souviens pas.

.

Mon regard s'est accroché à une étagère de bois où trônaient deux livres aux couleurs triomphantes. Sur les dernières pages défilaient les auteurs de la maison. Tous portaient des noms si fantaisistes que je les croyais inventés. Des noms de personnages, ai-je pensé.

.

Les noms, vous savez... Tous des pseudonymes.
— ROMAIN GARY ALIAS ÉMILE AJAR

.

J'ai posé ton livre debout sur l'étagère et je me suis promis de le lire quand je reviendrais. Et tout ce temps, toutes ces années, ton nom m'est resté en tête, brillant, scintillant, comme une promesse dorée.

.

Parce que j'ignorais encore que la littérature parle d'abord aux vivants, j'ai quitté Montréal au moment où notre histoire aurait pu commencer.

PARIS

Je savais seulement que je devais me rendre
à Berck et, dès mon arrivée, contacter ma voyante
afin qu'elle me donne de nouvelles instructions
sur la suite du programme.
— SOPHIE CALLE

La littérature est parfois un sort qu'on jette.

.

Le 7 novembre 2008, j'ai rangé mes valises dans le coffre du taxi qui me mènerait à l'aéroport de Dorval. Je n'avais pas prononcé un mot que le chauffeur m'a lancé, débonnaire : « Alors comme ça, vous rentrez en France ? »

.

Roland Barthes disait de la littérature qu'elle est réaliste : elle tend à représenter le réel. Il qualifiait cependant cette quête d'*irréaliste* dans son ambition, le réel étant trop complexe pour qu'on puisse le saisir. Cela explique la mélancolie de toute entreprise littéraire. Et sa mégalomanie.

.

À Roissy, le lendemain matin, je suis montée dans un taxi. Devant l'immeuble de l'appartement que j'avais loué, le compteur s'est arrêté. Le coffre à bagages s'est ouvert, et le chauffeur s'est tourné vers moi pour me souhaiter un bon retour à la maison.

Ces deux passeurs qui me croyaient chez moi à Paris, savaient-ils ce qui m'y attendait ? La coïncidence était si étrange que j'ai considéré qu'ils étaient peut-être de mèche avec la voyante. Je sais aujourd'hui que tous les chauffeurs de taxi me croient de leur pays.

.

Dès que cette histoire s'est mise à commencer, je n'ai pas su faire *comme si*. Ce que je croyais être de l'ordre de l'imaginaire – un personnage, une prédiction, un roman – est devenu ma réalité. Cela *m'arrivait*.

.

Je ne disposais que de trois semaines pour trouver le petit Français, mais avant d'attaquer, j'ai consacré mes premières journées à l'observation.

.

La Parisienne porte la robe en semaine. Ne craint pas le cheveu gras. Les plus jolies arborent une frange. En terrasse, elle commande un café et un verre d'eau. Les serveurs leur apportent un cendrier, de quoi tenir leur main et leur bouche occupées.

Une même allure, de menues différences dans la chevelure, la couleur des lèvres, les mêmes talons. À Paris, la féminité doit énormément au French Cancan.

.

Comme la littérature, l'amour et l'avenir, je n'étais pas certaine que Paris *existe*. Il aura fallu la chimère du petit Français pour que je m'arrête à ce mirage auquel ma famille croyait plus que moi. J'apprendrais bientôt que les Japonaises se leurrent aussi.

.

À Paris, les beaux garçons portent un caban bleu et des baskets blanches. Méfiez-vous des cols roulés : ils trahissent le provincial.

.

Le syndrome de Paris nous apprend que l'on peut être farouchement amoureux d'une idée. C'est toujours imaginairement qu'on aime un homme, une femme, une ville. L'image qu'on s'en fait.

.

Chaque année, une douzaine d'étudiantes d'origine nippone sont internées à l'hôpital Sainte-Anne avant d'être rapatriées en avion. Elles suffoquent, souffrent de vertige, transpirent, s'évanouissent parce que l'image qu'elles avaient de Paris ne correspond pas à la réalité rencontrée.

Où sont, demandent-elles, les garçons délicats à la moustache cirée ? Les valets de pied en livrée ? Les femmes fatales à la bouche gourmande, la taille ceinturée ? Les couples s'embrassant sous les ponts de pierre ? Les mimes au visage fardé ? Les accordéonistes ventrus ? Les peintres coiffés d'un béret ? Les ballerines vêtues d'un tutu ?

Dans le métro de Tokyo, une affiche leur avait pourtant promis que Paris les attendait.

.

Selon les autrices du livre *Comment devenir une vraie Parisienne*, la séduction est un jeu auquel les habitants de Paname excellent.

On y apprend que trouver chaussure à son pied dans la ville de l'amour relèverait d'une « véritable chasse à l'homme ».

.

J'ai gardé l'impression que la règle du jeu a été inventée par les courtisanes du siècle dernier. Les rôles sont partagés. Aux femmes : le mystère, la mise en scène, la bouderie, la pléthore d'amants. Aux hommes : l'adultère, la protestation, l'attente et l'argent.

.

Les Japonaises qui souffrent du syndrome de Paris sont plongées dans un délire de persécution : elles se croient la cible du regard noir que leur jettent les garçons de café.

.

Ma famille craignait que je le perde. C'était sans compter sur la vigilance francilienne. Il suffisait que j'échappe une expression québécoise dans le métro, au café, dans la rue pour qu'un inconnu me rapporte mon accent comme une mitaine : « Surtout, ne le perdez pas ! » En revanche, les moustaches de sel sur mes bottillons attiraient le regard dédaigneux des passants. À force d'opprobre, je me suis mise en quête de cavalières.

J'en essayais une paire, rue de la Roquette, quand un homme a passé la porte de la boutique. La trentaine heureuse, un visage bon enfant, une veste marine et des boucles marron. Ces bottes, m'a-t-il dit, m'allaient décidément très bien. Je n'étais pas convaincue. Il a détourné discrètement le regard pour me suggérer : « Mais pourquoi ne revenez-vous pas avec votre ami.e ? »

La finale muette dont on ignore si elle se termine par un « e » ou un « i », rendant équivoque le sexe de l'ami, laissant supposer l'amant se cachant derrière ce mot, soulevant la question de mon état marital à laquelle je répondrais sans qu'elle ait été posée, la double entente livrée dans le plus rond des accents français, tout cela m'a charmée. Lui, c'est simplement le galbe de mes mollets qui l'a séduit.

Dans mon journal, on lit : *Pas de forme fixe, qu'une idée fixe. Une obsession empruntée, comme on le dirait d'une coquetterie.*

.

Lorsque je retournerais, bottée, au Pure Café, Fabien me féliciterait : « Mais on dirait *presque* une vraie Parisienne ! »

.

J'avais les bottes. Il me fallait un alibi. Si on me demandait pourquoi je séjournais à Paris, je ne pouvais répondre chercher l'amour. Même sur un ton d'ironie, cela passerait pour benêt. Heureusement que ma thèse sur Roland Barthes me fournissait une occupation. Il ne me restait qu'à trouver une arme.

.

Dans mon journal, on lit : *Les filles marchent avec leur téléphone à l'oreille, comme avec un téléguide au musée, ou à la main, comme on tient une télécommande.*

On ne dit plus : « Il m'aime »,
mais « Il m'a téléphoné ».
— NADINE DE ROTHSCHILD

Un ami me prêterait son téléphone portable.
Il me fallait maintenant déterminer le meilleur endroit pour provoquer le destin.

Sur un site de rencontres manquées,
j'ai remarqué que la plupart des coups de
foudre survenaient dans la contemplation :
le lèche-vitrine du samedi ou l'expo du
dimanche. Mais parfois Baudelaire montrait
son actualité, « ô toi que j'eusse aimée, ô toi
qui le savais », une inconnue croisée dans la
rue ou le métro suscitant un vif émoi.

Parce que je n'avais pas envie de passer
une journée assise sur le banc d'un musée,
j'ai résolu d'intercepter le petit Français
en déplacement. Afin de déterminer mon
mode de transport, j'ai créé une alerte sur
un site de petites annonces.

La petite annonce est un genre littéraire peu étudié. Si j'avais à le décrire, je dirais qu'il s'agit d'une histoire qui aspire à se poursuivre. Plus que l'amorce d'une intrigue : un appel à l'univers, une demande narrative, un récit qui rêve à sa fin.

.

De l'amour, ce qui m'intéresse, c'est l'histoire. À commencer, bien sûr, par le début. Quels éléments faut-il réunir pour qu'une histoire d'amour s'enclenche ?

.

Les surréalistes proposaient cette tactique : déambulez sur les Grands Boulevards, près de l'Opéra Garnier, et abordez la première femme qui vous regarde.

.

J'ai imaginé l'histoire suivante.
J'avais échangé avec un homme des mots et un sourire près du métro Bastille. Comme question à laquelle seul l'homme recherché

aurait la réponse, j'ai tapé : *Quel était mon mode de transport ?*

À ma grande surprise, un homme m'a contactée, qui s'était reconnu dans ce début de romance. Ce dénommé Nicolas m'a appris qu'il m'avait rencontrée alors que je cherchais mon chemin à Vélib'.

L'information me plaisait. Je ferais comme cette femme : je roulerais dans les rues de Paris dans l'espoir de provoquer un coup de foudre.

.

Plus tard, je comprendrais que cette information obtenue sur un site de rencontres *manquées* mettait en péril l'existence même de notre relation. Pour rectifier le tir, je m'informerais auprès de couples heureux, à qui je demanderais de me raconter comment ils s'étaient rencontrés.

.

Si l'amour est une histoire qu'on se raconte, qui en est le héros ?

.

L'histoire des couples heureux était toujours la même. Un garçon avait connu quelques filles. Il avait fait des bêtises. Lorsqu'il se sentait mûr pour une relation stable, il faisait la rencontre de celle qui serait la femme de sa vie. Dès lors, il se mettait en tête de la courtiser. Elle finirait un jour par succomber.

.

Comme les chats, les Français vous observent longuement d'un œil fixe. S'approchent et posent une patte sur le livre qui détourne votre attention. Quand vous levez la tête, ils plantent leur regard dans le vôtre et ferment les yeux à demi.

.

Il y avait un problème. Dans cette histoire, je m'identifiais au garçon. Comme les hommes, je voulais que ce soit mon désir qui l'emporte. Je ne voulais pas être la fille, je ne voulais pas t'attendre : je voulais te gagner.

.

Deux semaines après mon arrivée, je n'avais rencontré personne qui corresponde à l'idée qu'on se faisait du petit Français. Pendant ce temps, à Lévis, on planifiait la noce.

Il avait été décidé que la famille du marié logerait au Château Frontenac, d'où l'on avait une belle vue sur Lévis. La cérémonie prendrait place dans la salle de bal du Cercle de la Garnison, un club privé formé de militaires, d'hommes d'affaires et d'universitaires, que mon oncle, le colonel, présidait.

.

Un soir, à Paris, au Palais de Tokyo, je suis tombée sur le dernier livre de Sophie Calle : *Où et quand ?* Curieuse de voir le stratagème adopté, j'ai retourné le volume pour lire, sur la quatrième : *J'ai proposé à Maud Kristen, voyante, de prédire mon futur, afin d'aller à sa rencontre, de le prendre de vitesse.*

.

À qui appartient une histoire vraie ?

.

J'avais été inspirée par le travail de Sophie Calle. Il était sans doute prévisible qu'on en vienne toutes deux à consulter une voyante pour nous lancer à la poursuite de nos futurs amoureux. (Elle avait trouvé le sien à Berck, dans le Pas-de-Calais.) Cela ne m'empêchait pas d'être dévastée : cette histoire que je croyais mienne, Sophie Calle l'avait publiée avant moi.

.

Mon avenir brûlé, je l'ai l'abandonné. « Voilà ce qui arrive aux filles qui jouent avec le réel. » Je me suis juré qu'on ne me reprendrait plus à écrire des histoires vraies.

.

Attristée par la fin de ce projet, j'attendais Cécile sur le bord du Canal Saint-Martin tout en feuilletant *Vogue Paris*. Mon horoscope disait qu'en ce mois de novembre, des changements spectaculaires entraîneraient une réorganisation complète de mes impératifs. Tu parles, ai-je pensé, et Cécile est arrivée.

.

« Alors, t'es venue t'installer à Paris ? »
J'ai répondu que je partirais dans quelques
jours. « Tu sais, bien sûr, que tu ne repar-
tiras pas. » Sauf l'accent, j'aurais juré que
c'était ma voyante qui parlait.

.

Dans les services d'espionnage, on dit que
l'information est probable lorsqu'elle est
formulée en termes vagues : il y aura une
attaque prochainement. Une information
n'indiquant qu'une possibilité est inutile
puisqu'elle est nécessairement vraie : il se
peut qu'il y ait des représailles. (*Il se peut*,
certes.) Les informations données par la
voyante étaient remarquables : précises tout
en étant exactes.

.

Cécile avait rénové un studio pour un client,
qui souhaitait le louer. Un petit appartement
sous les combles où l'on accédait par un
escalier en tire-bouchon. Comme c'était à
deux pas, elle m'a fait visiter.

À trois jours de mon départ, j'avais
trouvé un appartement à Paris. Je suis

rentrée à Montréal vider le mien. Comme prévu, j'emménagerais à Paris en janvier.

.

Mais avant, je suis retournée chez ma source la plus sûre afin obtenir plus d'informations.

La deuxième fois que je l'ai consultée, la voyante m'a rabrouée : l'appartement que j'avais loué – celui qu'elle avait prédit – était trop cher et trop petit. Elle m'intimait de résilier mon bail. Je trouvais qu'elle charriait.

.

Chaque fois que j'irais chez la voyante, elle nierait ce qu'elle m'avait raconté la fois précédente. Je vois trois explications à cela. La première est esthétique : elle reprend une intrigue dont elle n'est pas satisfaite. La deuxième est ésotérique : mon avenir se redessine à chacune de mes visites. La troisième est cruelle : elle se joue de moi.

.

Mais le comble, c'est qu'un deuxième personnage est apparu dans cette histoire :

l'homme de ma vie. (À ne pas confondre avec le petit Français.)

.

Voici ce qu'elle disait de l'homme de ma vie : il parlait bien, utilisait beaucoup de mots en anglais, il était drôle (elle en riait à se taper les cuisses) et il me comprenait lorsque je parlais. Nous aurions la chance de vivre un grand, très grand amour. Quelque chose de rare.

.

Cette histoire mal ficelée me convenait en partie. Depuis que Sophie Calle avait publié son livre, j'avais abandonné la quête du petit Français tout comme le projet d'écrire le récit de cette quête. À la place, j'avais décidé de faire du petit Français ce qu'il était déjà : un personnage de roman.

.

Je rencontrerais l'homme de ma vie à trente-trois ans. Pas avant trente-trois ans, la voyante avait insisté. Je terminerais d'abord mes études. Je décrocherais ensuite un contrat dans une prestigieuse université anglaise et, à trente et un ans, un poste permanent. J'ai rouspété. Cela signifiait qu'il me faudrait attendre cinq ans, peut-être six avant de connaître l'identité de l'homme de ma vie.

.

Je publierais un livre heureux, la voyante disait, et c'est par ce livre que je rencontrerais l'homme de ma vie. Alors il fallait que ce soit, me suis-je dit, un roman d'amour.

.

La deuxième fois que j'ai écrit ce livre, il avait pour titre *Chanson française*. Pour t'attraper, je voulais une bulle de savon, un miroir aux alouettes, un théâtre de marionnettes. « Un harponnage romantique », tu dirais.

.

J'ai demandé si je te connaissais. Elle a secoué la tête. « C'est un nouveau », elle a dit. De nom, peut-être ? Elle a refusé de répondre. « Pas un écrivain ? » Elle a acquiescé. Cela ne me convenait pas : je ne voulais fréquenter personne du milieu littéraire. Si elle t'avait gratifié d'une barbe, je serais partie sur-le-champ.

J'ai voulu comprendre pourquoi elle m'avait envoyée à Paris traquer le petit Français alors que l'homme de ma vie m'attendait à Montréal. Pourquoi me lancer sur une fausse piste ? Parce que pendant longtemps, je ne me rendrais pas compte, elle disait.

J'ai quitté son bureau, dégoûtée. J'ai pensé que cette histoire ne ferait *jamais* un bon livre.

.

En dépit des remontrances de la voyante et du fait que l'homme de ma vie se trouvait à Montréal, je casserais le bail de mon appartement de la rue Marie-Anne.

Je me rappelle le bonheur de quitter la ville de tous mes mauvais souvenirs sur la banquette du camion loué pour déménager mes boîtes de livres. En revanche, j'étais inconsolable à l'idée d'abandonner Marcel à ma cousine. Quand la voiture de mes parents l'a emporté chez elle, j'ai senti que je venais de commettre une terrible trahison.

.

Au début de l'année 2009, j'ai mis à la poste un faire-part sur lequel figuraient mes coordonnées françaises. Ma mère a aimanté cette carte sur le réfrigérateur. Lorsque je changerais de téléphone, elle bifferait l'ancien numéro et tracerait le suivant sous l'ancien. Ce bout de carton énumère tous mes ennuis à Paris : le téléphone qu'on m'a volé, celui que l'avion a démagnétisé, celui qui ne captait que la fenêtre ouverte et celui que je garderais dans ma trousse d'évasion.

.

En publiant *Polaroïds*, j'ai appris qu'un numéro de téléphone est la seule chose qu'on ne peut légalement imprimer dans un livre sans le consentement de la personne concernée.

.

Ma carte de métro, ma carte de biblio-thèque, ma carte bancaire, mon titre de séjour, un plan de la ville, un adaptateur, une liasse de petites coupures et un téléphone portable.

Avant trente et un ans, j'aurais une trousse pour la France, une pochette pour Montréal, et une dernière pour le Japon.

.

J'habitais près du canal Saint-Martin. Le métro débouchait sur la terrasse d'un bar qui s'appelait Le Triomphe de l'Est. Chaque fois que j'en sortais, j'avais une pensée pour le *bum* de la rue Sherbrooke.

.

Mon premier appartement était situé dans l'est de Montréal, à la frontière des quartiers Rosemont et Hochelaga. Quand je traver-sais la rue Sherbrooke pour me rendre au métro Préfontaine, un *bum* se faisait un point d'honneur de me crier, chaque matin, que c'était moi « la plus belle fille de l'est de Montréal ».

De l'est – non de l'île. Paradoxalement, c'est sa précision qui rendait le compliment laudatif.

.

Le choc quand, dans les rues de Paris, les sans-abris m'invectivaient. « Pute ! » « Fille de riche ! »

.

J'ai compris la raison de leur hargne dans le vestiaire d'un coiffeur de la Rive droite où j'ai eu peine à suspendre mon trench Benneton tant était compacte la rangée de Burberrys. En France, la bourgeoisie se drape d'un imperméable.

.

Je sortirais du salon après avoir déboursé cinq cents dollars pour une coupe et une couleur. « Trois cents euros ! » répétais-je, en remontant la rue de Sèvres.

.

Pour ne rien arranger à mes finances, le taux de change m'était défavorable à la suite de la crise financière de 2008. Le bon côté, c'était que cela me permettait de mettre à profit le test du restaurant.

.

Au printemps, par désœuvrement, je me suis inscrite à un site de rencontres. Me plaisait beaucoup une fonctionnalité qui permettait de créer un test de personnalité comme on en trouve dans les magazines féminins. Ce test avait pour but de vérifier la compatibilité des personnes intéressées. Le mien servait essentiellement à piéger le petit Français.

.

Je m'aperçois que l'érotisme dans ce livre n'excède jamais les limites d'un dispositif. Ici : le questionnaire.

.

Êtes-vous un personnage ?

Portez-vous un veston ?

Parlez-vous deux langues ?

Êtes-vous mélancolique ?

Réglez-vous l'addition ?

Aimez-vous le vin blanc ?

Savez-vous jouer d'un instrument de musique ?

Votre mère est-elle belle ?

Conduisez-vous un deux-roues ?

Enfant, étiez-vous timide ?

Soignez-vous un rhume ?

*Souhaitez-vous passer pour quelqu'un
d'indépendant ?*

Aimez-vous recevoir à dîner ?

Pleurez-vous au cinéma ?

Savez-vous réparer ?

Vos souliers sont-ils fabriqués en Italie ?

Aimez-vous les sports de raquette ?

Y a-t-il un trou dans votre chaussette ?

Êtes-vous l'aîné de votre famille ?

Lisez-vous ?

.

Il y a quelque chose de rassurant dans la
simplicité d'un personnage : une enfance,
trois ou quatre traits de personnalité et un
désir contrarié.

.

Après un mois, il m'a fallu admettre que le petit Français ne possédait pas de profil Meetic. Un type ayant obtenu un score de six sur vingt a cependant attiré mon attention. Sous son chapeau de paille, j'ai reconnu un pote. Nous avons fait *comme si* nous ne nous connaissions pas déjà. Pendant quelques jours, nous avons échangé par messagerie privée. La complicité établie, il m'a donné rendez-vous dans un troquet à la mode. Nous avons dansé la salsa. Je l'ai ramené chez moi.

.

Un jour, mon pote s'est plaint à nos amis que je ne retournais pas ses appels. J'étais surprise : il ne m'avait jamais rappelée. Il a fait sonner mon téléphone en ma présence. Je n'ai pas répondu, puis je lui ai tendu l'appareil. Sur l'écran n'apparaissait aucun appel manqué. Il a appelé de nouveau, m'a laissé un message. Ma boîte vocale était vide lorsque je l'ai consultée. On n'avait jamais vu cela : un téléphone fantôme.

Après cet épisode, je me suis procuré un nouvel appareil. J'ai ajouté le numéro du téléphone fantôme à ma liste de contacts. Il m'arrivait souvent le soir de composer mon vieux 06 dans l'espoir qu'une voix annoncerait qu'un homme dont je m'étais entichée (et qui ne voulait pas de moi) m'avait enfin laissé un message.

.

Paris est une société aux codes si bien établis que je prenais plaisir à m'en jouer. Plus les rôles semblaient archaïques et les règles, artificielles, plus cela m'amusait. Il est vrai qu'en tant qu'étrangère, j'avais le sentiment de pouvoir choisir celles qui s'appliquaient à moi.

.

Pour disparaître, il suffisait de pratiquer la course à pied. Un short, un t-shirt et des baskets, et je n'existais dans l'œil de personne. Aucune femme pour détailler ma tenue. Aucun homme pour me demander ce qui n'allait pas. Seuls quelques badauds m'encourageaient à ne pas lâcher comme si j'étais à moi seule le Tour de France traversant le boulevard Stalingrad.

.

C'est en joggant dans les rues de Paris que j'ai rêvé une vie au petit Français, son enfance dans le nord de la France, sa sœur qu'il voit rarement, un métier d'ingénieur qui l'amène à voyager et sa panoplie de vestes en velours cordé. Bien sûr, je l'ai appelé Christophe.

.

J'ai créé *Chanson française*, mon roman d'amour, le cœur battant.

.

Le rival du petit Français ferait son entrée lorsque je rencontrerais ce type un peu glandeur, bel homme, l'humour boudeur, une moto et la nonchalance du jeune Depardieu. Il cherchait toujours un prétexte pour monter chez moi. Comme il avait une copine, je l'en gardais. Mais il faisait un si beau personnage qu'en tant qu'écrivaine, j'avais toute la misère du monde à ne pas m'enticher de lui. (Il se moquait d'ailleurs de moi quand je disais « avoir de la misère ».)

Pour le tenir à distance, je l'ai mis dans le roman. Je l'ai appelé Julien. Cantonné dans l'espace de la fiction, il ne pouvait rien contre moi.

.

La fille me posait plus de difficulté. Je l'ai appelée Béatrice. Dans la première version du manuscrit, j'en ai fait une chanteuse souhaitant percer en France. Elle est devenue institutrice l'été où l'on n'entendrait plus que Béatrice Martin (alias Cœur de pirate) chanter ses ritournelles à la radio.

.

La difficulté venait surtout du fait que je voulais faire mien ce désir d'être aimée, regardée, qu'on prête aux filles, qui n'est pas le mien. D'où l'idée, finalement, d'une narration à la deuxième personne. Il m'était plus facile d'écrire Béatrice *en la regardant*.

Parce que son prisme est loin du mien, Béatrice est le personnage qui m'a donné le plus de fil à retordre. Et pourtant, parce que je suis une fille, c'est à elle qu'on m'identifie.

.

Je suis rentrée à Montréal déposer cinq exemplaires de ma thèse à l'Université de Montréal au début d'avril. Trois cents pages reliées par les deux languettes de métal d'un duo-tang bleu.

J'en ai profité pour rendre visite à mes parents à Lévis et faire un tour au Salon du livre de Québec. Je me suis arrêtée à deux kiosques : celui de La Peuplade et celui du Quartanier, où j'ai choisi *Matamore n° 29*. On m'a dit que l'auteur serait ravi de me le dédicacer. Pouvais-je revenir dans quelques minutes ?

.

Je me suis dirigée vers la caisse et, derrière une colonne de béton, j'ai vu surgir une tête et des yeux braqués sur moi. Une belle tête d'espion de la Méditerranée.

.

Tout m'arrive.
Alors j'appelle Joseph Mariage.
Il apparaît.
Je lui dis : Mariage, nous avons du travail.
Il repart aussitôt.
— ALAIN FARAH

.

Je le connaissais de nom parce que Tania m'avait déjà dit ne respecter que deux étudiants à l'université : Alain Farah et moi. Cela avait piqué ma curiosité, d'autant que Tania n'aime pas beaucoup de gens.

.

Je les retrouverais tous deux, Alain et Tania, quelques jours plus tard au Port de tête, dans un lancement du Quartanier. Je ne ferais qu'une apparition, le temps de claquer la bise à mon amie assise dans la cour feuillue.

Le lendemain, Tania me téléphonerait pour me dire qu'elle avait rencontré un gars « vraiment wow » au souper qui avait suivi. Tania prononcerait ton nom tout du long, cela me rappellerait ton livre. J'ai prononcé ton nom. « C'est bien lui », elle acquiescerait. C'était toi qu'elle avait rencontré. C'est dommage, dirait-elle, que je me sois sauvée, parce que toi, insistait-elle, *toi*, je t'aimerais.

.

Je ne reste jamais longtemps dans les lancements. La plupart du temps, je siffle un verre de vin blanc trop petit et me sauve parce que les ennuis commencent au deuxième verre. Quarante minutes, c'est le temps que mettent les importuns à s'enhardir.

.

Lui, disait Tania, *lui*, tu l'aimerais.

.

Pas comme l'étudiant qui avait mis neuf secondes à me pénétrer. Pas comme le poète qui lui avait agrippé les fesses. Pas comme l'artiste qui m'appelait la nuit en offrant de me payer. Pas comme le rédacteur en chef d'un magazine qui lui proposerait un cachet en échange de ses seins. Pas comme l'écrivain qui avait accepté mon invitation en classe à la condition que je le raccompagne dans son lit. Pas comme le lauréat qui avait menacé de la tuer. Pas comme l'académicien qui m'avait proposé de le rejoindre dans sa chambre d'hôtel pendant le Salon du livre de Québec. Pas comme le journaliste qui offrirait de m'aider à écrire mon prochain livre – le soir, chez lui. Pas comme le professeur qui m'inviterait à son colloque « pour rendre les collègues jaloux ».

Des escortes, c'est ce qu'ils voient en nous. Et tous ces autres que j'oublie. Parce que c'est bien cela, le pire : ils sont si nombreux, si communs, qu'à force, on oublie.

.

Aujourd'hui, j'ai trente-neuf ans, je suis professeure, j'ai publié des livres, je suis en position d'autorité et je ne sais toujours pas comment ne pas laisser le champ libre – le champ littéraire, le champ universitaire, qui sont les deux champs que je connais – à ceux qui font de nos carrières des champs de mines.

.

Ma fuite à Paris s'explique aussi par mon désir de vivre une relation *hors-champ*.

.

Tout ce temps, toutes ces années, je savais que le jour où je te rencontrerais, *toi*, je t'aimerais. Mais cela ne m'empêcherait pas de repartir le jour suivant.

.

Ma thèse déposée, de retour à Paris, j'ai plongé dans l'écriture de *Chanson française*. J'avais résolu d'écrire un livre heureux, légèrement ivre, une fiction pour te séduire. Ce serait un livre porté par le désir d'une fille. Qui prendrait le parti des filles qui veulent être aimées. Un livre sur lequel ces hommes répugneraient à mettre les doigts.

Dans mon journal, je lis aussi : *Adolescente, j'avais le projet de rédiger un roman Harlequin suivant les règles et les détournant pour écrire un grand roman d'amour. Je n'ai jamais lu de roman Harlequin, mais j'aimais l'idée d'élever la formule.*

.

Je ne sais pas s'il s'agit d'une structure propre aux romans Harlequin, mais pour boucler *Chanson française*, j'ai renoué avec un schéma racinien : l'héroïne, deux rivaux et une confidente. On ne peut plus classique, on ne peut plus mécanique.

.

Par le roman, j'apprenais à mieux connaître le petit Français, sa gentillesse irascible et les femmes de sa vie. Cet été-là, j'ai été très surprise de le rencontrer dans un pique-nique. Il ne s'appelait pas Christophe. Pour le reste, il était ce que mes proches avaient imaginé : ingénieur, célibataire, la peau laiteuse, et comme dans mon livre, j'ai compris qu'il était amoureux d'une autre fille à sa manière de répondre au téléphone, fébrile et s'excusant du revers de la main.

J'étais médusée : la scène se déroulait exactement comme dans mon roman. C'était bien la peine d'écrire une fiction, me suis-je dit, si l'histoire se met à arriver.

Quelques jours plus tard, un ami m'a confirmé que le cœur du petit Français était pris. J'étais plus triste que de raison pour un homme que je n'avais vu qu'une fois. Il est vrai qu'il habitait mes pensées depuis longtemps.

Mais connaissant l'histoire puisque je l'avais écrite, j'ai résolu d'agir comme ma Béatrice : j'ai passé une robe marine, affecté un sourire et dévalé l'escalier pour me rendre à une fête qui m'indifférait. Je pressentais y rencontrer un homme qui me ferait oublier mon chagrin.

.

La deuxième fois que j'ai écrit ce livre, je l'ai abandonné après avoir rencontré non pas un, mais deux petits Français.

.

Quand je suis arrivée à la fête, la salle était bondée. Un garçon s'est tourné vers moi en souriant à belles dents. Il avait la couleur des Japonais qui l'entouraient, délicat, mais avec quelque chose de relâché dans le maintien. Ses yeux et la ligne de son menton révélaient qu'il avait grandi dans un autre pays. Quand je l'ai vu, j'ai pensé *handusomu* !

.

La langue japonaise emprunte les mots désignant une réalité occidentale à l'anglais. Ainsi dit-on *beddu* pour un lit, *kohi* pour un café et *handusomu* pour un bel homme. La plupart des Japonaises vous le diront : « Alain Delon, *handusomu* ! »

.

On aurait dit son visage dessiné. Quand il éclatait de rire, il se tenait le ventre, yeux plissés. L'ouverture de ses lèvres figurait tantôt la joie, tantôt la surprise. Lorsqu'un plat de sushis est passé sous son nez, j'ai imaginé sa langue se dérouler comme un tapis rouge sur un escalier.

D'un geste de la main, j'ai fait signe à l'inconnu de s'approcher. En riant, il s'est présenté comme un *pique-assiette*. Pourvu, pensai-je, qu'il ne soit pas radin.

.

En amour, la baronne de Rothschild pardonne toutes les incartades, sauf l'avarice. Heureusement, il existe une manière de démasquer rapidement les radins : le test du restaurant.

.

Lorsqu'il m'a tendu une carte de visite où son nom figurait en *romanji* et en *katakana*, j'ai compris que c'était lui, l'homme aux deux accents, le petit Français que la voyante m'avait promis. J'ai souri : le sept de carreau était japonais.

.

Le test du restaurant se déroule comme suit : lors du premier rendez-vous, l'homme doit s'emparer de la note. S'il propose de partager ou pire, s'il laisse la femme régler, cela signifie qu'il est incapable d'aimer.

Deux choses cependant m'embêtaient :
ce n'était pas *mon* petit Français. Dans
l'homme aux deux accents, je reconnaissais
le petit Français de la voyante. Et de lui, elle
avait dit que je ne devais rien attendre. J'ai
tout de même accepté son invitation à dîner.

.

Les garçons de café trichent lorsqu'ils
tendent l'addition à l'homme en le remer-
ciant « au nom de la demoiselle ».

.

Quand le serveur a apporté la note, le petit
Japonais m'a proposé de partager.
    Il avait échoué au test du restaurant.

.

Réduire la dynamique amoureuse à un seul
geste (régler l'addition) me ravissait autant
que la beauté d'un rituel japonais. Car à l'inverse, il suffisait d'inviter son amant pour
l'éconduire sans drame. « Si, si, je t'invite ! »
et l'homme de remercier, l'air dépité, car

cela signifiait que la demoiselle n'attendait rien de lui désormais.

.

La voyante m'avait prévenue : je ne devais rien attendre de l'homme aux deux accents. Le test du restaurant de la baronne de Rothschild semblait confirmer ses dires. Or, je voulais le petit Japonais dans mon lit. J'ai marchandé avec moi-même de ne passer qu'une seule nuit avec lui.

.

Le passage qui précède choque certains garçons, qui voient là un relent de patriarcat. Cela ne manque jamais de m'étonner. Je ne fais pourtant pas l'apologie de l'homme pourvoyeur. Il me semble surtout que d'autres fragments illustrent mieux les ressorts de la misogynie. Je pense au lancement qui se termine par une pénétration inopinée. C'est ce passage, en tout cas, qui choque le plus les femmes.

.

Un autre dispositif, une autre mécanique. Cela peut paraître cavalier que de s'en remettre ainsi à une règle. Je me rappelle toutefois le soulagement que cela m'avait procuré, la certitude de ne pouvoir fauter puisque ce n'était pas *moi* qui décidais.

.

Si vous voulez connaître la valeur d'un homme,
mettez-le à l'épreuve, et s'il ne vous rend pas
le son du sacrifice, quelle que soit la pourpre qui
le couvre, détournez la tête et passez.
— LAURE CONAN

.

Dans mes draps, j'ai remarqué que sa peau était constellée de grains de beauté. En espagnol, on les appelle *lunares* : lunes, étoiles, petits satellites d'encre noire. Un ciel de Perséides comme on les voit en août. Le signe qu'il passerait dans ma vie comme une étoile filante, ai-je pensé.

.

Les protocoles, les dispositifs, les règles libèrent le sujet de sa responsabilité. De tout sentiment de culpabilité. Ce n'était donc pas l'aspect romantique de cette quête qui apaisait ma mélancolie; c'était son ludisme.

.

Après cette nuit avec le petit Japonais, un croissant de lune est apparu sur mon visage. Puis la lune s'est remplie jusqu'à former un beau, un grand, un vrai grain de beauté. Une mouche sur ma joue. Comme il est d'usage en astronomie, j'ai donné mon nom à cette lune. J'espérais que ma force d'attraction triompherait de tout ce qui nous séparait : la langue, les continents, le sept de carreau et le test du restaurant.

J'ai toujours cette lune sur ma joue. Encore aujourd'hui, il s'agit de la plus belle parmi toutes les choses étranges qui me sont arrivées.

.

C'était l'été de la vague de suicides chez France Télécom. Des employés se pendaient à leur domicile, sautaient sur les

rails de chemin de fer, ingéraient des bar-
buturiques, s'immolaient sur le terrain de
la compagnie, se donnaient des coups de
poignard en pleine réunion, se jetaient par
la fenêtre du bureau.

.

Mon chef n'est bien sûr pas prévenu.
— UNE EMPLOYÉE QUI S'EST
DÉFENESTRÉE

.

Pour Tania, ce sont les chatons. Moi, mon
cœur saigne pour les ingénieurs surmenés.

.

Un soir, le petit Français qui n'était pas japonais m'a appelée. Il partait le lendemain
rejoindre sa famille pour les vacances et me
proposait de prendre un verre le soir même.
Y avait-il un endroit à Paris où je n'avais pas
encore mis les pieds ? Je n'étais jamais allée
au Plaza Athénée. Un endroit parfait pour le
test du restaurant, qui plus est.

.

Alors que le maître d'hôtel nous menait à notre table, le petit Français saluait d'un discret coup de tête les habitués – mannequins, politiciens, journalistes – qui peuplaient la terrasse, cachés de la rue par une haie de conifères. Comme il n'y avait que le gotha pour fréquenter le bar de ce palace du faubourg Saint-Honoré à une heure si tardive, tous les clients nous croyaient des leurs.

.

Au moment de régler, le serveur a simplement attendu derrière son épaule. C'est à peine si j'ai vu la carte bancaire tendue. Deux verres, soixante euros.

Sans sourciller, le petit Français avait dominé le test du restaurant.

.

J'étais euphorique : j'avais trouvé *mon* petit Français, celui que j'avais inventé, ses souliers bateau, son visage un peu celte. Même qu'il traversait Paris en scooter pour me ramener chez moi. Il faisait nuit. La tour

Eiffel scintillait. C'était encore une fois trop beau pour être vrai.

.

Comme malgré moi, j'apprenais aussi à aimer Paris. Pas la ville des arbres bien taillés qui impressionnaient ma grand-mère. Mais l'humour, l'esprit, la chaleur de l'amitié et cette manière qu'ont les Français de jouer un rôle et de romancer leur vie.

.

Quand il a posé son pied sur l'asphalte devant ma porte cochère, il était si épuisé qu'il versait des larmes de fatigue sans s'en apercevoir. Comme il bossait pour France Télécom, j'étais inquiète. Il m'a rassurée. Trois semaines chez ses parents à Berck lui faisaient toujours le plus grand bien.

.

Je désire savoir si Berck c'est fini.
« On va demander », dit-elle. C'est fini,
ont répondu les cartes.
— SOPHIE CALLE

J'avais trouvé les deux petits Français. Mais Berck ? Cela portait la signature de Sophie Calle. Je croyais pourtant l'avoir semée. Et voilà qu'elle se mêlait d'intervenir dans *mon* histoire.

•

Il y avait deux Sophie, deux voyantes et deux livres. Il y avait également deux amoureux. La nuit, quand mon téléphone vibrait, j'ignorais lequel des deux m'écrivait.

•

Le test du restaurant et la Perséide sur ma joue semblaient indiquer que le petit Japonais s'éclipserait de lui-même. Mais quand je gardais le silence, il rappliquait. Rebelote avec le petit Français. Dès lors que tous deux restaient dans ma vie, je devais choisir : l'homme aux deux accents ou l'homme imaginaire ?

•

Cela m'était difficile, puisque tous deux me plaisaient. En chœur, les Parisiennes me tançaient : « Mais tu as maintenant l'âge de mener *deux* liaisons de front ! »

.

Comment m'était-il possible de choisir entre mon destin et ma créature ? Qui pouvait m'aider ? Encore une fois, j'étais à la recherche de modèles. J'avais voulu écrire ma vie. Plus précisément, j'avais voulu l'écrire *d'avance*. De Sophie Calle, j'avais appris qu'il suffisait de me donner une règle et de la suivre. Mais qui pouvait m'enseigner ce qu'il convenait de faire maintenant que tout ce que j'écrivais *m'arrivait* ?

Pierre Bayard, bien sûr.

.

Pour toutes ces rencontres qui organisent une vie, l'écriture n'a pas seulement une fonction de compte rendu ou de transformation littéraire, elle en a aussi l'initiative, au sens où elle les invente, elle les propose, elle les permet. Et parle donc aussi bien – par un processus qui est l'objet même de ce livre – de ce qui va arriver que de ce qui s'est produit.

— PIERRE BAYARD

Il m'attendait, le dos droit sur la banquette d'une brasserie parisienne, dans le coin le plus isolé. Chaque fois que je le reverrais, il choisirait un endroit différent, mais il y aurait toujours une lumière tamisée, de grands miroirs et une enfilade de salles donnant l'impression d'un espace infini.

Je crois être tombée sur *Le paradoxe du menteur* en écumant une tablette dédiée à Choderlos de Laclos à la bibliothèque de l'Université de Montréal. Intriguée par ce livre publié aux éditions de Minuit, je l'ai emprunté. Il y avait chez ce Pierre Bayard, dont je n'avais jamais entendu parler, une intelligence folle qui m'interpellait à un moment où j'en étais venue à voir dans le commentaire critique un délire d'interprétation.

L'hiver suivant, Alain Roy publiait dans *Le Devoir* un compte rendu de ce qu'on n'appelait pas encore « le dernier Pierre Bayard » : *Enquête sur Hamlet*. Combinant l'analyse littéraire et l'enquête policière, Pierre Bayard cherchait à identifier le véritable assassin qui, depuis quatre siècles, écrivait Alain Roy, « déambule en toute impunité devant nos yeux, sur les planches de tous les théâtres du monde » : Hamlet lui-même. J'exultais.

Parallèlement à la critique policière, je savais que Pierre Bayard avait développé la critique d'anticipation. Plus ma chasse à l'homme se déployait, plus j'étais convaincue que l'avenir se situait *avant* le passé. Pour reprendre un titre de Pierre Bayard, j'en étais venue à croire que *demain est écrit*. Comment expliquer autrement que Sophie Calle ait publié avant moi mon histoire d'amour, de voyante et de Berck ? Si l'écriture ne possédait pas un pouvoir prophétique, comment se faisait-il que le petit Français, le vrai, s'inspirait du personnage que j'avais inventé (et non l'inverse) ?

Si tout de cette histoire n'était pas écrit d'avance, comment expliquer que tu te reconnaîtrais dans le manuscrit que je t'enverrais ?

.

Avant ce livre, je ne pensais pas que les mots avaient le pouvoir de modeler la réalité. Maintenant, je fais attention, trop peut-être, à ce que j'écris. Parce que je sais que l'écriture porte la mémoire de l'avenir.

.

Avant de rentrer à Montréal soutenir ma thèse, il me fallait parcourir le dernier livre de Georges Didi-Huberman au cas où un membre du jury me poserait une question s'y référant. En passant la porte d'une librairie de la rue Rambuteau, j'ai compris que j'étais tout bonnement tombée sur son lancement.

Depuis la caisse, Colette Kerber veillait sur lui. L'homme était grand, d'une stature tranquille. Devant ceux qui venaient lui parler, il s'inclinait en gardant la tête penchée, comme pour mieux réfléchir à ce qu'il répondrait. Autour de lui, des libraires à la quarantaine maigre, quelques universitaires trapus, des étudiants et des jeunes femmes aux mots aussi acérés que leurs vêtements étaient lâches.

La coïncidence était trop belle pour ne pas laisser ma timidité derrière. Un libraire m'a tendu une coupe de chardonnay, que j'ai saisie, et je me suis approchée.

Un silence s'est installé autour de ma personne, qu'on ne connaissait pas. Georges Didi-Huberman me regardait avec bienveillance. J'ai pris la parole pour me présenter. J'achevais mon doctorat, ai-je dit pour commencer. Il s'est enquis du sujet. Au mot « mélancolie », il a détourné les yeux. Un jour, m'a-t-il dit, il écrirait sur la mélancolie. « J'ai hâte de vous lire », ai-je répondu, en ressentant cette sorte d'impatience qu'ont les étudiants envers les maîtres qui ne répondent pas à la question qu'ils se posent eux-mêmes.

La question qui me taraudait était la suivante : est-il seulement possible d'en finir avec la pensée de la fin ? Au lieu de la poser, je l'ai chaleureusement remercié et me suis éclipsée vers la caisse avec une copie du livre que j'étais venu chercher.

·

Pour mon vingt-neuvième anniversaire, j'ai obtenu de la Préfecture de Paris une dérogation qui me permettrait de quitter le territoire français afin de participer à ma soutenance, qui aurait lieu le 25 septembre 2009 à l'Université de Montréal.

Le 24 septembre 2009, une écrivaine québécoise mettait fin à ses jours. Elle avait trente-six ans, l'âge de Marilyn Monroe retrouvée nue chez elle. Elle laissait derrière elle deux chats siamois, une paire de bottes en suède bleu et plusieurs téléphones à cadran.

.

Je n'ai pas dormi la nuit précédant mon vol. J'étais malade à l'idée de retrouver la ville de mes mauvais souvenirs.

.

Comme Norma Jean Baker, Isabelle Fortier a reçu une éducation catholique et troqué son identité d'écolière pour un prénom plus coulant. On les disait réservées, elles avaient toutes deux un timbre de voix enfantin que contredisaient la cambrure de leur dos et leurs cheveux décolorés.

.

Dans les marches menant à l'avion, la chaleur de mon manteau m'a fait perdre connaissance. Aux agents de bord venus me trouver, j'ai soufflé que j'étais trop chaudement vêtue pour la fin de l'été parisien.

.

Toutes deux avaient posé nues. Toutes deux avaient suivi une psychanalyse. Toutes deux avaient tenté plusieurs fois de se suicider.

.

Malheureusement, le protocole exigeait que les passagers à l'état de santé instable restent au sol. Un employé m'a annoncé qu'un taxi bleu me ramènerait chez moi.

.

J'ai beau chercher un trait qui distinguerait Nelly Arcan de Marilyn Monroe, je ne trouve qu'une description qui conviendrait à n'importe quelle finissante de cinquième secondaire : elle était gentille, elle était drôle, elle avait une oreille attentive.

Devant ma confusion, l'employé a précisé que le taxi me reconduirait à la maison.
Puis après une pause : *à Paris*. J'ai souri. Et
de trois, ai-je pensé.

.

> *Si on en veut aux gens qui se suicident,*
> *c'est parce qu'ils ont toujours le dernier mot.*
> — NELLY ARCAN

.

Quand le jury m'a félicitée, je suis devenue docteure, Tania a éclaté en sanglots et
mon père a reçu un texto du petit Japonais
qui m'était destiné. Croyant qu'une bombe
détonait, mes parents ont crié quand le cel-
lulaire a sonné.

.

Après la soutenance, je suis retournée à Paris
vider mon appartement. Le taux de change
avait eu raison de moi. En novembre, je

rentrerais à Montréal pour une charge de cours à l'Université McGill.

.

Au poste de contrôle, un douanier français m'a demandé : « Et alors, c'est dans quelle ville qu'il faut vivre : Montréal ou Paris ? » J'ai répondu Paris. Mauvaise réponse, m'a-t-il dit, en me souhaitant tout de même un bon retour à la maison.

.

Mon pote, celui de la salsa, ne comprenait tout simplement pas : « Hé Bé ! Entre les sans-papiers qui veulent rester et les avec-papiers qui se cassent, la France est mal barrée. »

.

J'étais triste de quitter la France, où je me sentais désormais chez moi. Alors que j'avais mis onze mois à l'obtenir, je n'ai bénéficié de mon titre de séjour que trois semaines. Une situation d'autant plus cruelle que j'avais le sentiment que les choses se plaçaient enfin. Que ma vie avait finalement un sens.

Aujourd'hui, je vois une raison cosmique à ce départ : les deux petits Français trouvés, ma présence à Paris n'était plus requise.

.

J'avais contacté Pierre Bayard pour me libérer d'un sort. En discutant avec lui, il m'est apparu que pour reprendre le contrôle de ma vie, je devais réécrire l'histoire. Mais cette question, celle de l'autorité, me taraudait. Encore une fois, je me demandais qui pouvait m'éclairer. J'ai pensé qu'une dernière personne à Paris pouvait me renseigner sur ce que cela signifie que d'*écrire sa vie*.

.

À lire son histoire, on a l'impression que Chloé Delaume est fille de lettres. En lieu de père et de noms, elle s'est établi une filiation avec deux écrivains dont l'œuvre prend à rebours les classiques de la littérature française que sa mère enseignait.

.

Comme le pseudonyme permet à l'écrivain de se nommer lui-même, l'autofiction lui permet d'exercer son autorité sur sa vie.

.

J'ai décidé de devenir personnage de fiction quand j'ai réalisé que j'en étais déjà un.
À cette différence près que je ne m'écrivais pas.
D'autres s'en occupaient. Personnage secondaire d'une fiction familiale et figurante passive de la fiction collective. J'ai choisi l'écriture pour me réapproprier mon corps, mes faits et gestes et mon identité.
— CHLOÉ DELAUME

.

Afin de la tenir occupée, sa mère lui faisait composer des poèmes en octosyllabes, puis en alexandrins. Pour Chloé Delaume, *six fois quelque chose, avec une coupure à l'hémistiche* reste la forme parfaite. La coupure viendra pour elle quand le père se saisira d'un calibre douze.

.

Longtemps j'ai cru qu'il n'y avait de réel que ce contre quoi l'on se cogne. Comme si une histoire ne pouvait être à la fois heureuse et vraie.

.

Je l'ai reconnue sitôt que je suis entrée dans la galerie Mycroft, sa coupe au carré, cheveux crêpés, la bouche fine et d'énormes lunettes. J'étais trop gênée pour lui parler. Elle s'est approchée, m'a claqué la bise et m'a dit : « Moi, c'est Chloé. Tu veux un Coca light ? »

.

Ceci est une histoire vraie. Ceci est une histoire d'amour. Ceci est une histoire heureuse. C'est difficile à croire, je sais : je peine moi-même à croire que tout cela est vrai.

.

Parce qu'il me semblait que notre histoire n'était pas terminée, j'ai choisi le petit Japonais. Avec lui, j'ai aussi choisi la bohème et l'Asie. La voyante avait dit que je serais déçue. J'ai embrassé mon dépit en fermant les yeux.

TOKYO

*Ce qui m'intéressait le plus, ai-je précisé,
c'étaient des histoires non conformes à ce
que nous attendons de l'existence, des
anecdotes révélatrices des forces mystérieuses
et ignorées qui agissent dans nos vies, dans
nos histoires de famille, dans nos esprits et nos
corps, dans nos âmes. En d'autres termes,
des histoires vraies aux allures de fiction.*

— PAUL AUSTER

J'avais trouvé le petit Français. Il s'est révélé japonais. Je devinais que cette histoire n'était pas terminée pour autant.

.

Dans mon journal, on lit : *Aucune fin ne conclura jamais l'autofiction puisqu'elle déborde l'espace clôturé de la fiction.*

.

Je soupçonnais que nous ne nous marierions pas. Que nous ne vivrions pas heureux. Et que nous n'aurions pas d'enfants.

Mais je savais que nous voyagerions beaucoup.

.

J'ai mis fin à ma chasse à l'homme en faisant *comme si* je ne voyais pas que la deuxième histoire, celle de l'homme de ma vie, était restée sans dénouement. Comme on évite un importun sur le trottoir, je gardais obstinément la tête tournée.

.

La première fois que le petit Japonais m'a rendu visite à Montréal, c'était en février. Il neigeait si fort qu'aux États-Unis les journaux parlaient d'un *Snowmageddon*. Quand il est finalement arrivé, après une escale qui l'avait fait dormir à l'aéroport de Chicago, nous n'avons pas quitté ma chambre de la semaine.

.

À Montréal, je ne t'ai pas traqué comme j'avais poursuivi le petit Français. Aucune petite annonce. Jamais évalué les hommes à l'aune de ta description. J'étais trop obnubilée par les pixels du visage du petit Japonais apparaissant, puis se figeant sur l'écran de mon ordinateur portable.

.

J'étais amoureuse d'un fantôme. Et le propre des fantômes, c'est de prendre toute la place.

.

On sait toujours dès le début. Les signes sont là. On reste par curiosité, pour comprendre le personnage. Moi, en tout cas. C'est peut-être un travers d'écrivain : je me demande *jusqu'où* cela ira. Ce n'est que lorsque je suis amoureuse que j'espère un renversement, que je vis de l'espoir d'être *surprise*.

.

Je ne raconte pas, et pourtant il le faudrait, ces moments d'ennui où il me semblait que le temps s'étirait indûment. Toutes les fois où j'ai voulu réécrire cette histoire pour faire du petit Japonais l'homme de ma vie.

.

Les temps morts, les impasses, les débuts qui ne mèneraient à rien. Mais aussi les moments qui n'avaient d'autre sens que d'être beaux. Inutiles à cette histoire : les pointes de tortillas dévorées chaque matin, à onze heures, dans un bar pourri du quartier Malasaña.

.

À Montréal, je ne t'ai pas cherché. J'étais amoureuse du petit Japonais. Mais je craignais aussi le pouvoir de l'écriture. Wajdi Mouawad m'avait dit que j'étais une sorcière. Pierre Bayard avait confirmé que la vie de beaucoup d'écrivains s'inspirait de leurs livres. Et je n'étais pas prête, dans ma vie comme dans mon travail, à me lancer dans une nouvelle histoire.

.

Il me fallait d'abord terminer *Chanson française*. Pour ce faire, j'ai collé sur le mur quantité d'images de Montréal et de Paris – la Ronde, des feux d'artifice, des marinières le long du canal Saint-Martin et des visages comme des personnages, dont celui d'Alain Delon faisant la bise à Romy Schneider. Des polaroïds, aussi, que j'avais pris – une ruelle du Vieux-Montréal, des magnolias, la fontaine du square Saint-Louis.

.

À partir des images qui figuraient sur ce tableau, je bricolais une fiction. J'appelais cette manière de faire *la technique de Keyser Söze*.

The greatest trick the Devil ever pulled was
convincing the world he didn't exist.
— VERBAL (INTERPRÉTÉ PAR
KEVIN SPACEY)

Je faisais *comme si* je ne t'attendais pas.
Reste que ce livre, je l'écrivais aussi pour te
faire venir à moi. Pour te lancer un sort.

À McGill, j'ai retrouvé Alain Farah, qui avait
obtenu le poste de professeur en création
littéraire. Quand il m'a demandé si j'avais
un livre en chantier, j'ai répondu oui. Un
roman d'amour, ai-je précisé. Il m'a proposé
de le refiler au Quartanier lorsque je l'aurais
achevé.

Cela me semblait incongru de publier un
roman d'amour au Quartanier. Si j'aimais
le formalisme de la maison, la vision de la

littérature qu'elle portait, je craignais cependant que les auteurs (pour la plupart des garçons) ne voient dans mon livre qu'une bluette. *Un roman de fille.*

Mais il n'était pas question de révéler que *Chanson française* était un coup monté. J'ai donc remis mon roman d'amour à Alain en pensant qu'il ne serait pas accepté.

Il l'a été.

.

À McGill, j'ai mis *Où et quand ?* au programme. En préparant mon cours, je suis tombée sur une photographie que je n'ai jamais pu retrouver par la suite. Appuyés au cadre de porte d'un appartement nord-américain, un bel et grand Paul Auster enlace une jeune Sophie Calle permanentée, cigarette à la main. Ils semblent tous deux aimantés de désir. Si je tape aujourd'hui leurs deux noms dans la fenêtre d'un moteur de recherche, c'est la fille de Paul Auster, prénommée Sophie, qui apparaît.

.

Pour dire le vrai, j'ai redouté qu'on me fasse sentir que je n'étais pas des leurs. Que, fille, on me relègue au banc du club des garçons. Puis je me suis dit que cela faisait de moi un loup dans la bergerie. Au final, j'ai parié sur le fait que si l'homme de ma vie était un écrivain montréalais, il se trouvait peut-être au Quartanier. Dans tous les cas, c'était l'endroit le plus giboyeux pour lancer ma chasse à l'homme.

.

Il était entendu que *Chanson française* serait publié en 2013. Ce serait l'année de mes trente-trois ans. À nouveau, les signes brillaient.

.

Sophie Calle n'a pas eu de fils qu'elle aurait appelé Paul. En revanche, elle a eu un chat qu'elle a nommé « Souris ». Comme la proie du félin. Ou comme l'impératif auquel elle obéirait jusqu'à ce que Paul Auster ne l'en décharge à la fin du *Gotham Handbook*.

.

Le soir même, j'ai dîné avec Paul Auster.
Je lui ai annoncé que j'avais mis fin au Gotham
Handbook. *Je devais encore arborer ce sourire*
contraint car il s'est penché vers moi et tout
doucement, comme s'il s'adressait à une malade,
il m'a dit : « C'est fini, Sophie... C'est fini,
tu peux arrêter de sourire. »
— SOPHIE CALLE

.

Souvent j'aurais aimé qu'un Paul Auster me
dise, à moi aussi : « C'est fini, Sophie... »

.

Elle revenait si souvent dans cette histoire
qu'un jour, je me suis demandé si ce n'était
pas elle, Sophie Calle, que j'avais poursui-
vie depuis le début de ce projet. Pour vider
la question, je lui ai proposé de nous télé-
phoner en classe. Tous les mardis de mars
à midi, je brancherais mon ordinateur sur le
projecteur en laissant Skype ouvert. En vain.

.

Un personnage, ai-je dit aux étudiants, c'est quelqu'un qui dit oui à ce qui lui arrive, en dépit des conséquences, pour que l'histoire avance.

.

Pendant des années, j'avais *joué le jeu*. Mais lequel ? Le jeu des filles ? Je ne suis pas naïve : j'avais tout à perdre à écrire un roman d'amour, de filles. (Le partitif écœure. Je le sais : je suis une fille *de Québec*.)

.

Dans le livre de Sophie Calle, la voyante est narratrice. Sophie, elle, ne sait pas ce qui lui arrive. Elle ne sait pas non plus ce qu'elle poursuit, sinon son propre avenir, indéfini.

.

On pourrait dire que j'ai joué le jeu de la voyante. Que j'ai misé mon temps dans l'espoir d'en faire un livre. De tout ce temps perdu, faire un peu de temps retrouvé.

.

Roland Barthes a écrit qu'il faut parfois une montagne pour accoucher d'une souris.

.

Entre le moment où j'ai consulté la voyante et le moment où j'ai su que c'était toi, l'homme de ma vie, il s'écoulerait six ans. Symétriquement, cela me prendrait six années de plus pour mettre cette histoire au propre.

.

J'imagine rarement ce qu'aurait été ma vie si je n'avais pas écouté la prédiction de la voyante en m'installant en France. Car les souvenirs que je garde de cette époque voyageuse ont un supplément d'âme que les autres – mes souvenirs « naturels », si je puis dire, ceux que je n'ai pas provoqués – n'ont pas.

.

Aujourd'hui, je dirais qu'à travers Sophie Calle, c'est une autre Sophie, une autre moi-même que je traquais. Une Sophie plus allègre que celle laissée à Montréal. En prenant à la lettre une fantaisie, j'ai semé mon ennui.

.

De toutes les coïncidences qui me sont arrivées à Montréal, la plus merveilleuse met en scène un volcan.

.

Le petit Français, celui du Plaza Athénée, m'a rendu visite sur le campus de McGill un jeudi d'avril. J'ai noté à mon agenda qu'il repartait le mardi suivant. Chaque fois que nous avons évoqué l'aéroport, il a insisté pour me corriger : il rentrerait à Paris le dimanche. Chaque fois, je ne l'ai pas cru : j'étais convaincue qu'il rentrerait le mardi.

.

Wajdi avait raison : j'étais une sorcière.

.

Le jour de son arrivée, un panache d'eau, de vapeur et de cendre s'est déplacé de l'Islande vers le continent. Tous les vols à destination de l'Europe ont été rapidement annulés. Impossible de partir le dimanche. Au téléphone, un employé d'Air France a offert à mon ami de monter à bord d'un vol à destination de Zurich le mardi suivant.

.

Un livre peut-il donner forme à une vie ?

.

Après avoir raccroché, le petit Français m'a regardée en se frottant le bout du nez. « Quand même, un volcan... Mais comment t'as fait ? »

.

Je ne sais cependant toujours pas ce qui s'est passé à New York. La dernière fois que j'ai consulté la voyante, j'ai oublié de le lui demander.

.

S'il y a une chose que j'ai comprise en écrivant mon roman d'amour, c'est que les personnages sont portés par un désir. Quand les bons livres se présentent comme des champs de force, les mauvais livres sont peuplés de personnages satellites, en orbite, sans désir propre.

.

Je suis retournée au Port de tête. Samuel Archibald lançait *Arvida*, l'histoire d'un gars, disait-il, qui voulait raconter des histoires en n'ayant pour madeleine qu'une McCroquette trempée dans le miel.

.

On reproche souvent à l'autofiction son égocentrisme. Il s'agit d'un choix narratif. En écrivant *Chasse à l'homme*, j'en ai vu la délicatesse : hors champ, les autres sont préservés du danger de la publication.

.

Tu te trouvais dans la cour du Port de tête ce soir-là.

Chaque fois que je publie un livre, je me demande toujours : que va-t-il m'arriver après le lancement ?

Dans la pénombre du soir tombé, je me suis dit qu'après le temps des grands hommes, le temps des garçons était arrivé. Le temps des héros, du territoire à conquérir. Et qu'après le temps des garçons, on assisterait à la révolution des filles. Qu'on entendrait bientôt leurs vérités s'énoncer.

En attendant que ce jour arrive, je me suis faufilée jusqu'à la sortie – sans te parler.

J'ai compris que ce n'était pas gagné, la révolution des filles, quand le petit Japonais m'a confié qu'aucun personnage ne l'effrayait plus que celui de Mrs. Robinson. Son regard *désirant*.

.

Le roman d'amour est un genre dans lequel le désir des personnages se manifeste claire-ment : Marcel désire Albertine. (Albertine, pas tellement.) Les choses se compliquent toujours parce qu'un bon personnage est habité par plus d'un désir.

.

A-t-on jamais reproché à un homme, comme on le reproche à certaines femmes, de trop vouloir ? N'est-ce pas la définition même du héros que de vouloir *trop* ?

.

À trente et un ans, je savais que la fin de mon histoire avec le petit Japonais approchait. Le cœur n'y était plus. Mais Tokyo m'attirait.

.

On aime toujours un monde en l'autre, disait Gilles Deleuze.

.

Bien sûr, je n'attendais rien de lui. Or, le fait que nous ne fussions pas mariés rendrait ma recherche d'emploi difficile au Japon.

.

Dans les romans de Jane Austen, c'est le mariage qui, chez l'autre, est désiré.

.

Une Japonaise m'a dit que ce n'était pas que l'on craindrait que je reparte au Canada si rien ne m'attachait au Japon : c'était que je passerais pour une fille en attente d'un meilleur parti. Personne ne voudrait embaucher une fille *difficile*.

.

Une voyante avait mis en garde Sophie Calle qu'il ne lui arriverait rien de bénéfique au Japon. Cela aurait dû me mettre la puce à l'oreille.

.

J'ai donc emprunté à ma mère la bague de non-mariage. Sa marraine – dont les fiançailles avaient été rompues – la lui avait donnée après que ma mère a divorcé de son premier mari.

.

La bague a berné mes futurs employeurs : j'ai décroché quatre charges de cours au Japon. En contrepartie, ses pouvoirs se sont exercés sur ma vie amoureuse : le petit Japonais m'accueillerait à Narita en m'annonçant qu'il me quittait.

.

Le Japon était comme je l'imaginais, mais en beaucoup plus doux. En plein centre-ville de Tokyo, on entend les grillons.

.

Chaque fois que je trouverais un cheveu long dans sa maison, je m'abîmerais dans une jalousie que je ne me connaissais pas.

.

Les jeunes Japonais sont souvent très grands. Quand on leur plaît, tout leur corps se tourne vers vous comme devant une apparition. C'est très beau.

.

À Kyoto, le soir tombé, les geishas se déplacent à petits pas dans un kimono si pâle qu'on dirait des papillons de nuit.

.

De tous les syndromes du voyageur, le syndrome de Stendhal est mon préféré. Les personnes à risque sont les jeunes femmes célibataires en peine d'amour, sensibles, cultivées, voyageant seules et épuisées par leurs incessants déplacements. Pour une fois que je me reconnaissais dans une description.

.

Mon cœur a palpité à Kyoto comme celui des Japonaises à Paris. Mais contrairement à elles, je me suis évanouie parce que la réalité était beaucoup trop belle.

J'ai longé des étangs bordés d'érables rougeoyants, j'ai tapé des mains pour faire fuir les fantômes des monastères et j'ai déposé cinq cents yens dans une petite boîte en échange de prédictions.

LOVE: THERE WILL BE HAPPINESS
MORE THAN YOU HOPE
JOURNEY: CHANGE TRAVEL DATE,
AND THINGS WILL GO WELL
FINDING YOUR SOUL MATE:
WILL BE LATE

Une bague, une marraine, le bout du monde, un cœur brisé, une prédiction. Cette histoire est aussi un conte de fées.

QUÉBEC

*Au titre des préjugés qui nuisent à notre accès
à la littérature, on peut ranger cette idée trop
répandue que les œuvres puiseraient leur
inspiration dans ce qui les précède. Mais pourquoi
ne s'inspireraient-elles pas également de ce
qui les suit ?*

— PIERRE BAYARD

Un temps, j'ai pensé faire de ce livre un jeu de mémoire dans lequel ce qui aurait été raconté resurgirait plusieurs fois avant que le lecteur ne puisse réunir les paires exactes.

Il y aurait eu Sophie Calle, ses réapparitions et ma vie comme une mise en abyme de la sienne. Il y aurait eu ton nom sur la couverture de ton livre, Tania qui me disait que je t'aimerais et toutes les fois où l'on se croiserait au Port de tête dans un lancement du Quartanier sans se présenter.

.

Mon histoire avec l'homme aux deux accents terminée, j'ai pris la route de la maison.

.

L'année universitaire japonaise ne débutait qu'en avril. Je suis retournée chez mes parents passer l'hiver. J'apprendrais que les quatre charges de cours que j'avais décrochées ne m'assureraient pas un salaire suffisant pour vivre à Tokyo. Mon avenir se nimbait à nouveau de flou.

.

Pendant une année complète, je garderais la tête au Japon, et dans mon portefeuille, ma carte d'employée de l'Université Sophia. Sur la photographie, mon sourire est si large qu'il me fait les yeux bridés.

.

Je n'avais plus d'amour. Je n'avais plus d'argent. Je n'avais plus d'appartement. Mais j'avais un contrat d'édition pour *Chanson française*. Mon amie Madeleine s'en réjouissait. « C'est très connu que les grands écrivains traversent une période de crise. Si j'étais toi, je ne m'inquièterais pas. »

.

Chez mes parents, je ne faisais que cela, écrire, réécrire mon roman d'amour. Les après-midis, je faisais de longues marches sur les rives enneigées du fleuve Saint-Laurent. Ce paysage lunaire m'apaisait. Autrement, je restais cloîtrée dans ma chambre avec pour seule visiteuse ma mère qui, à l'instar de Céleste, m'apportait sans mot dire un café sur un plateau d'argent.

Parce qu'elle cherchait sur Internet ce qu'il était advenu d'une connaissance de sa marraine, ma mère découvrirait que l'Université Laval cherchait un.e professeur.e en création littéraire. L'affichage m'avait échappé.

Je me suis présentée à l'entretien d'embauche la bague de diamant au doigt. En échange de mon cœur brisé, j'ai obtenu ce poste à l'université.

.

On ne devient pas si facilement professeur, vous me direz. Même avec une bague de non-mariage. Je sais. Mais j'avais décidé de rentrer à la maison.

.

Mon doctorat m'a appris que la joie prend la forme du retour. La joie nous est connue : elle est ce qu'on connaît, qui réapparaît.

.

À quinze ans, je rêvais d'écrire des livres, de voyager et d'habiter dans le quartier Saint-Jean-Baptiste, près du trajet de l'autobus 7. Au lieu de quoi, à dix-sept ans, j'irais étudier à Montréal. De retour du Japon, je renouais avec les lieux de mon adolescence que j'avais tôt quittés – la Place d'Youville, les Plaines d'Abraham, les Laurentides vues d'un appartement de la rue Saint-Olivier. Tout me semblait *kawaii*.

Ce ravissement se teintait toutefois de mélancolie. Avais-je, à trente et un ans, accompli tous mes rêves ? C'est la pensée qui traversait mon esprit chaque fois que, rentrant chez moi, je passais devant l'arrêt de l'autobus 7.

.

Avoir oublié un souhait formulé à quinze ans m'avait permis de l'exaucer.

.

L'avenir n'est peut-être pas écrit. Ce sont plutôt nos désirs qui possèdent une force dont on ne mesure la portée qu'a posteriori.

Enfant, mon livre préféré s'intitulait *La demoiselle aux lupins*. Dans cet album pastel, une petite fille prénommée Alice écoute son grand-père lui raconter ses voyages passés. À leurs côtés, j'avais dessiné deux cercles coiffés d'une perruque noire, agitant la main près d'un voilier. Les lettres S, O, P, H, I et E ne laissent pas de doute quant à l'identité du personnage.

Lorsque je serais grande, moi aussi, je voyagerais autour du monde. Mais avant cela, nous dit le grand-père, il faut trouver une manière de rendre le monde plus beau. Vieillissante, Alice sèmera des graines à tous vents, ce qui fera d'elle la demoiselle aux lupins du titre.

.

Moi qui savais à peine tracer les lettres de mon prénom, j'avais résolu d'écrire des livres. À cinq ans, je connaissais le pouvoir qu'avaient les mots de rendre le monde plus beau.

.

À trente et un ans, j'ai été surprise par ce bonheur que j'éprouvais à revenir, après des années d'errance, au lieu où j'ai grandi.

.

Lorsqu'un collègue de l'université me demanderait dans quel quartier, à Lévis, j'avais grandi, cela faisait des lustres que je n'avais pas prononcé cette séquence qui m'émouvait autant que les berceuses que me chantaient ma mère : « En arrière du Canadian Tire. » À Montréal, à Paris, à Tokyo, on ne m'avait jamais posé la question.

.

Geneviève Castrée m'a raconté que dans ses moments sombres, elle se consolait en imaginant retourner vivre à Québec, travailler à la Carotte joyeuse et chanter dans un groupe punk.

.

Elle avait la tête de mes meilleures amies, c'est-à-dire la mienne et celle de Marie-Ève Tanguay. Comme nous, Marie-Ève a les cheveux brun foncé, le bouclé plus prononcé aux pointes qu'à la racine, des yeux comme on les dessine, un menton saillant et des joues qui ressemblent à des pains de maïs portugais. Quand on se voit, on a l'impression de se regarder dans le miroir. « C'est parce qu'on est des *patterns* de la nature », m'a-t-elle expliqué.

.

Il y avait tant de choses qui revenaient à l'identique, mais changées, que j'y voyais un autre signe que la fin approchait. De retour à Québec, j'avais le sentiment de lire *Le Temps retrouvé*.

.

Même Marcel, mon chat, reviendrait habiter chez moi. Lorsqu'il s'installerait sur mon vieux sofa en rouspétant un peu, comme si je ne m'étais absentée qu'une journée, je me demanderais si ce n'était pas lui, finalement, ma plus grande histoire d'amour.

.

Une nuit, j'ai rêvé que je marchais seule dans Manhattan. J'attendais au coin de la 59e rue et de la 5e avenue, près de FAO Schwarz et de Central Park, lorsqu'une limousine noire s'est arrêtée. La vitre s'est baissée. Je me suis approchée.

L'homme travaillait pour Woody Allen. Son secrétaire particulier, ai-je pensé. Pour chasser sa déprime, Woody souhaitait que je lui tienne compagnie. Accepterais-je de me rendre chez lui ? Il résidait au quarante-septième étage du Waldorf-Astoria et quand je le verrais, il m'attendrait derrière une machine à écrire posée sur un secrétaire.

.

Au réveil, je me suis interrogée : pourquoi Woody ? Ou plutôt, pour qui ? Quel homme, quel artiste, quel pédophile, quel névrosé, quel petit comique se cachait dans mon inconscient derrière Woody Allen ?

Woody Allen. Waldorf-Astoria.

La réponse se trouvait dans les initiales W.A. Je n'en connaissais aucun. Alors je lui ai dédié mon roman d'amour : « *À W.A. Rendez-vous au Waldorf-Astoria.* »

J'aurais bientôt trente-deux ans. Parce que la moitié de l'histoire que la voyante m'avait racontée s'était réalisée – Paris, le garçon aux deux accents, l'université anglaise, un roman –, j'ai voulu savoir si l'homme de ma vie m'arriverait toujours à trente-trois ans.

.

J'ai longtemps hésité avant de prendre rendez-vous. Je n'avais pas envie que la voyante me lance sur une nouvelle piste. Pas envie non plus qu'elle se dédise. Si j'avais renoncé à faire de cette quête un livre, je me découvrais plus aristotélicienne que je voulais l'admettre : je n'aurais de repos que lorsque cette histoire se conclurait enfin.

.

La troisième fois que je l'ai consultée, c'était l'été. La lumière entrait par le soupirail, jaune, chaude, comme une coulée de beurre fondu dans son bureau. La voyante souriait franchement, moi, légèrement : j'étais distraite par le tableau qu'elle avait accroché derrière son épaule, montrant une femme charnue, laiteuse, une de ces brunettes aux yeux doux.

Elle a sorti un jeu de cartes qu'elle a posé sur la table pour le séparer en deux paquets, qu'elle a réunis, puis elle a brassé les cartes d'un geste routinier. Elle a étendu le jeu sur la table, retourné les cartes, carreau, pique, cœur, trèfle, avant de les assembler à nouveau en un paquet. La voyante a étiré le bras pour déposer la pile devant moi. J'allais couper, mais avant que je commence, elle m'a demandé pourquoi j'étais venue, quelle était ma question, ce que je désirais que les cartes me révèlent.

.

Je voulais savoir si l'histoire avait changé ou s'il était encore écrit que je rencontrerais l'homme de ma vie à trente-trois ans.

.

Elle avait des yeux en amande, gris, et cette manière de laisser tomber les paupières en regardant ailleurs, de côté, la tête tournée vers un point de fuite, un pli, une quatrième dimension qu'elle était seule à voir et que dès lors je fixais comme si ton profil pouvait m'apparaître sur le mur de lambris.

.

La voyance offre une expérience fragmentaire. À partir de détails incongrus, de bouts de phrases, on se bricole une histoire qu'on voudrait plus lisse qu'elle ne l'est. Comme une tasse dont on aurait recollé les morceaux.

.

« Il s'en vient, il s'en vient », disait-elle en riant. Elle alléguait qu'il fallait te laisser du temps, beaucoup de temps, mais que tu approchais. Elle répétait que tu la faisais rire. (Elle t'entendait. Moi, pas.) Elle racontait encore que tu m'arriverais par un livre et qu'un jour quelque chose me pousserait vers toi, mais que tu ne serais pas prêt.

.

Quand ces pans de réel, ces morceaux dont on ne savait que faire, font retour dans

notre vie, ce qui semblait obscur se trans-
forme subitement en signe. Le signe que la
voyante disait vrai. Mais surtout le signe que
le dénouement approche.

.

Depuis quatre ans, je suivais les pistes
qu'elle m'avait lancées à Montréal, à New
York, à Paris. Je devais patienter encore un
an, peut-être deux, pour connaître ton identité, toi qui étais tout près, tapi à ma portée.

.

Il me semblait aussi que le passage du temps
s'était accéléré. En tout cas, je n'ai pas vu
mes trente-deux ans passer.

À 5 heures, je me réveillais, je corrigeais.
À 9 heures, je prenais le Métrobus. À 9h30,
je traversais le campus, un vrai campus
américain avec un boisé, des marmottes,
des mouffettes, une montagne au loin, un
stade de football et un immense stationne-
ment. Je préparais mes cours et le midi, je
mangeais dans mon bureau un plat de *penne*
réchauffées au micro-ondes. L'après-midi,
je rencontrais des étudiants, j'assistais à

des réunions, j'enseignais. Le soir, je corrigeais des copies, je lisais des mémoires, des thèses. À 23 heures, ma journée terminée, je rejoignais mon amant jusqu'à ce que sonne mon réveil. Alors je rentrais chez moi, en pantoufles et en pyjama.

La fin de semaine, j'écrivais des articles, j'organisais un colloque, je répondais à mes courriels. Pour me détendre, il m'arrivait de faire mon lavage, l'épicerie.

C'était cela, ma vie. J'en pleurais.

.

En classe, j'appuyais sur le bouton « fin de la session » avec une sorte d'extase. Alors que le système de projection s'éteignait, je fermais les yeux en espérant que le semestre serait terminé lorsque je les ouvrirais.

.

Puis le mois de mai est arrivé.

Le jour de mon lancement, je me rappelle une lumière belle, vive et les gens qui se prélassaient comme des chats au soleil dans les escaliers. Moi, je ne tenais pas debout. J'étais épuisée. Je n'avais d'ailleurs

invité personne au lancement afin de profiter de l'hôtel pour dormir tout mon soûl, ce
dont je rêvais depuis des mois. Les monda-
nités l'ont finalement emporté et je me suis
présentée au Port de tête.

.

Je n'avais pas le cœur à la fête, mais j'avais
un petit Duralex à la main que Karine s'ap-
prêtait à remplir quand Félix, te voyant
entrer dans la librairie, t'a fait signe.

.

J'ai pensé que tu avais le plus beau visage
du monde.

.

Quand Félix t'a présenté en disant ton nom
tout du long, Marc-Antoine K. Phaneuf,
mon regard s'est allumé. Cela faisait des
années que je savais que *toi*, je t'aimerais.

.

Tu avais le visage d'Elvis, mais la raie sur le côté, la veste ouverte sur la chemise, la houppe et l'insolence du jeune Cohn-Bendit.

.

Contrairement à Proust, Elvis mangeait beaucoup. Choses dont sa cuisine était perpétuellement pourvue : pains hamburger, moutarde, cornichons, bacon, Pepsi, gommes Juicy Fruit, brownies, crème glacée à la vanille et au chocolat, beurre d'arachides.

.

Mais tu avais une blonde et tu portais la barbe, deux choses que les gens ne manquaient jamais d'évoquer (ta blonde, ta barbe) en te saluant.

.

Je suis sortie prendre l'air, tu m'as suivie et m'as tendu un exemplaire de mon roman d'amour, que je t'ai dédicacé.

J'aurais dû voir que tu étais pris au piège.

J'aurais dû deviner que W.A., c'était peut-être toi, le M de ton prénom retourné.

Une blonde et une barbe, c'était assez pour me berner.

.

Elvis Aaron Presley est décédé au retour d'un rendez-vous chez le dentiste. Des membres de l'équipe médicale du Baptist Memorial Hospital ont cependant tenté de le ressusciter « parce que c'était Elvis ».

.

J'aurais toujours un sentiment d'imposture quand les journalistes me poseraient leurs questions. Étais-je romantique ? Avais-je des conseils à donner sur les relations amoureuses ? Je me mordrais les lèvres pour ne pas approcher ma bouche du micro et doucement demander : « W.A., es-tu là ? »

.

des oreilles de lapin, une patte de lapin,
un porte-bonheur, un fer à cheval, cloué
directement dans le sabot, se rentrer une écharde
entre l'ongle et la peau, un ongle incarné, un oncle
réincarné, un revenant, un spectre, un spectre
électromagnétique, un aimant, des aimants
qui se repoussent, deux rivaux qui se fuient,
s'entendre comme chien et chat, entre chien
et loup, la brunante, brunir au soleil, Carla
Bruni, Nicolas Sarkozy

— MARC-ANTOINE K. PHANEUF

.

En juillet, mon chat s'installerait sur mon exemplaire de ton dernier livre, *Cavalcade en cyclorama*, comme sur le corps d'un rival défait, grognant chaque fois que je tenterais de tirer la plaquette bleu bébé de sous son ventre. On aurait dit que Marcel était jaloux. Mais pourquoi était-il jaloux de toi ?

Une romantique aurait vu un signe. Pas moi.

Je me suis endormie et j'ai fait une appendicite.

.

Pour ce livre, je voulais écrire une autofiction sans danger, mais Paul de La Peuplade m'a fait remarquer qu'il y a beaucoup de malaises du corps dans cette histoire. Je m'évanouis, je m'épuise, je fais une appendicite. Comme malgré moi, cette quête de l'amour se vit dans une certaine hystérie.

.

Pour assister à la grande finale Loto-Québec, on s'était rassemblés en jaquette, les enfants malades, les jeunes papas, les accouchées et moi, qu'on avait fourguée en pédiatrie parce que l'appendicite est une maladie d'enfants, devant la grande vitre du cinquième étage de l'Hôtel-Dieu de Lévis.

Les feux d'artifice se déployaient devant le Château Frontenac, la falaise, la tourelle du Petit Séminaire. C'était si beau, cette pétarade sur fond de carte postale et ces inconnus rassemblés, qu'on aurait dit la fin d'un épisode de *Grey's Anatomy*.

.

Un matin, j'ai échappé un gaz. La nouvelle s'est répandue sur l'étage. Dans l'heure qui a suivi, toutes les infirmières sont passées me féliciter. On se frottait les mains : cela signifiait que j'irais bientôt à la selle ! La trivialité de cet accomplissement m'a fait comprendre que mes priorités avaient subitement changé.

.

Puis Éric Plamondon est apparu, pendant ma convalescence, dans le cadre de ma porte pour m'offrir ses vœux de prompt rétablissement. C'était mon écrivain préféré. Comme nous ne nous étions jamais rencontrés et que je savais qu'il habitait en France, j'ai pensé que la morphine me faisait halluciner.

.

Je me rappelle le déclic qui s'était produit à la lecture de *Hongrie-Hollywood Express* quand, assise sur le canapé fleuri de mes parents, je me suis dit : voilà la forme qu'il me faut. Pas un roman, mais une mosaïque d'anecdotes et de coïncidences portées par un désir d'écrire. Je ne me doutais pas que deux ans plus tard, il m'apporterait en

personne un exemplaire du dernier tome
de sa trilogie.

.

> *Il lui aura fallu trois vies pour comprendre*
> *que la réussite est une fiction. Il lui aura fallu trois*
> *destins pour apprendre que réussir sa vie n'est*
> *qu'une question d'histoire, n'est qu'une question*
> *de réussir à raconter une bonne histoire.*
> — ÉRIC PLAMONDON

.

La voyante avait dit que je te rencontrerais
par un livre et que nous serions amis pendant des années avant d'être amants. Je
venais de publier *Chanson française* et mon
anniversaire approchait : il fallait donc que
je te compte déjà parmi mes amis.

.

NUDISTE RECHERCHE AMIS.

.

La voyante avait dit aussi qu'après mon roman, je publierais un livre de petites histoires dont on ne saurait pas si elles seraient vraies.

.

J'ai célébré mes trente-trois ans en septembre. En soufflant mes bougies, j'ai souhaité que cette histoire se réalise.

.

HOMME (BOOSTÉ) OFFRE
SES SERVICES POUR CONTRATS
DE PAINTURES.

.

Je ne t'ai pas cherché. Mais j'ai donné ton signalement à mes collègues et à mes connaissances du milieu littéraire en promettant une récompense à quiconque me présenterait un homme correspondant à cette description.

.

Montréalais, drôle, cultivé. Libre. (Au moment opportun, tu le serais.) S'exprime bien en français. Publie des livres (pas des romans). Aussi connu pour autre chose que l'écriture. Mon égal, capable de suivre ma pensée. Même sensibilité (ne pas se fier aux apparences). Même besoin de solitude.

.

DEUX VAMPIRES RECHERCHENT COLOCATAIRE.

.

J'avais demandé à l'agente de gestion du Département de préparer une affiche annonçant ta venue en classe. Pour le design, j'avais proposé qu'on s'inspire des couleurs de la photographie que Le Quartanier m'avait envoyée : ton beau visage sur fond rose bonbon, une chemise turquoise et les deux mains sur ta bouche comme si tu avais échappé quelque chose de choquant qu'à ton regard, on savait que tu ne regrettais pas. « Il a l'air spécial, hein ? » m'a dit Lise quand elle a vu ton visage sur l'affiche.

En novembre, je t'ai reçu en classe. La veille et l'avant-veille, j'ai tout lu, tout entendu en lien avec toi. J'avais une grande affection pour ta collection de petites annonces soigneusement arrachées aux babillards du Québec dans lesquelles les désirs fusent, absurdes, jouissifs, comme autant d'appels à l'univers dont le lecteur, cynique, se permet de douter qu'ils ont été comblés.

·

MOI MARTIN P*** RECHERCHE UNE FEMME 32-38 ANS POUR VIVRE AVEC TOUTE MA VIE.

·

Ce que j'aime de la petite annonce, c'est le désir qui palpite de connaître le destinataire du texte.

·

Après le cours, tu m'as déposée chez moi. Tu n'avais plus de barbe quand on s'est fait la bise et mon téléphone a sonné. *Chanson française* était finaliste au Prix des collégiens. La remise aurait lieu en avril, au Salon du livre de Québec.

.

Parce qu'au cégep, on a l'âge des premières amours, Tania était certaine que je le gagnerais. Moi, pas. « C'est justement le problème, lui ai-je dit. On ne gagne pas de prix avec l'amour. » Madeleine était de mon avis. « C'est clair qu'un gars de l'Asso va convaincre les autres de voter pour un livre que personne n'aime parce qu'il fait des phrases complètes et qu'il est beau. »

.

Pour qui connaît les écrits de Jacques Lacan, cela se comprend facilement. C'est une question de registre : les prix littéraires relèvent du Symbolique. Tout comme les lois, la langue, l'école, la politique, l'argent. Et le père. Ce sont les livres dont la thématique s'inscrit dans ce registre qu'on récompense généralement par un prix (un symbole) et dont on fait des classiques. Mais l'amour, ah l'amour ! L'amour relève de l'Imaginaire, des histoires qu'on se raconte à soi-même, du miroir, du babil, des chansons. Et de la mère.

.

J'avais construit *Chanson française* comme un leurre, un enchantement. Je voulais qu'on en perçoive difficilement l'artifice, que la forme reste invisible. Je voulais qu'on aime ce livre sans savoir *pourquoi*. Tant pis si cela me soustrayait à la dynamique des prix. « Pense ce que tu veux. Moi, je pense qu'ils vont voter pour toi. »

Tania a toujours cru à l'amour et aux chats.

.

Dans les mois qui suivraient, tu m'écrirais toutes les fois où ton travail t'amènerait à Québec. Je te trouvais fort avenant. Parce que mon travail me tenait occupée en soirée, je déclinerais toutes tes invitations. Tu n'en serais pas offusqué. « C'est bizarre, me suis-je dit. S'il n'avait pas de blonde, je croirais qu'il me court après. »

Les mois passaient, l'homme de ma vie ne s'était toujours pas manifesté. Mes trente-quatre ans marqueraient-ils l'échec de la prophétie ? Pendant que cette histoire était encore vraie, j'ai eu l'envie d'écrire, ne serait-ce que pour moi-même, cette quête un peu folle, érotomane, qui m'avait menée à Paris, à Tokyo, à Québec.

La troisième fois que j'ai écrit ce livre, je l'ai abandonné après que tu t'es reconnu dans la description donnée de l'homme de ma vie.

On aurait dit un casse-tête à mille morceaux, une enfilade de moments brillants. Il y avait l'homme de ma vie, la bague de non-mariage, le volcan islandais, mon grain de beauté, les deux petits Français, ma famille qui l'avait imaginé, la voyante. Il y avait mon chat, Marcel, *Polaroïds* et Tania : « Envoye donc, un ti-menou ! »

.

En avril, j'avais un manuscrit d'une quarantaine de pages, un collier d'anecdotes qui
se concluait par ces mots : « Aujourd'hui
j'ai trente-trois ans et j'attends toujours la
fin de l'histoire. » Je l'ai envoyé à Tania.
Je l'ai envoyé à notre éditeur. Parce que
je pensais en faire un livre d'artiste, je l'ai
envoyé à Marie-Ève, qui est designer graphique. Et j'ai pensé, j'ignorais pourquoi, à
te l'envoyer.

.

Quelque chose me poussait à te confier
ce manuscrit quand bien même les histoires d'amour, me disais-je, ce n'était pas
ton genre. Je ne soupçonnais pas que tu
le lirais comme une petite annonce affi-
chée sur le babillard d'un supermarché de
Gaspésie : *MOI SOPHIE LÉTOURNEAU
RECHERCHE UN HOMME 32-38 ANS
POUR VIVRE AVEC TOUTE MA VIE.*

.

Tu disais que l'anecdote, c'était en plein ton genre. Tu m'as même parlé de Paul Auster. Tu rêvais d'écrire un roman comme *The Last Novel* de David Markson.

.

> *Ça va suffisamment mal avec ma blonde ces temps-ci pour que j'aie cru qu'il m'était personnellement adressé, comme une lettre volée, une déclaration, ce qui m'a merveilleusement bouleversé, puis j'ai eu l'idée encore plus saugrenue que tu l'avais envoyé à tout plein de garçons rencontrés par le livre dans la dernière année, comme un genre de harponnage romantique à achever avant que la seconde moitié de ta trente-troisième année soit passée.*
> — MAKP@[...].COM

.

J'ai reçu ton courriel pendant le Salon du livre de Québec. Sur le coup, je n'ai rien vu de plus qu'une blague bien tournée. Tania, très fébrile, m'a demandé de lui répéter tout ce que la voyante avait dit.

.

Montréalais, tu l'étais. Ce que tu écrivais (des livres conceptuels, des poèmes à bascule, des listes qui ont mal tourné, une chaîne de pensées), ce n'étaient pas des romans. Sur ta carte de visite et au bas de tes courriels, ton nom est suivi des mots « *artiste & auteur* ». Tout cela concordait avec ce qu'avait annoncé la voyante.

.

Je te répondrais finalement, sur un ton badin, que ce ne pouvait être *toi*, l'homme de mes trente-trois ans, puisque la voyante était formelle : mon grand amour était célibataire.

.

Le lendemain, on remettait le Prix des collégiens. J'ai su que c'était lui, le gars de l'Asso dont m'avait parlé Madeleine, à la manière dont les filles ont détourné la tête lorsqu'il s'est rendu sur scène pour remettre le prix et l'ont gardée baissée lors de son allocution. À leur visage détruit, j'ai compris que ce n'était pas moi, ni le livre, ni l'amour qui avait perdu le Prix des collégiens – mais les filles.

•

Le surlendemain, tu me répondrais que vous vous étiez séparés.

•

Au kiosque du Quartanier, certaines sont venues me voir en pleurant. Le livre était écrit au « tu », mis pour Béatrice, le personnage principal. « Les garçons, m'ont-elles dit, n'ont pas aimé être une fille. Qu'est-ce que tu veux répondre à ça ? »

•

La misogynie s'exprime souvent simplement.

•

> — *Vous me ridiculisez parce que je suis une femme.*
> — *C'est parce que vous êtes une femme que vous dites des choses ridicules.*
> – SÔSEKI

Rien, je n'ai rien répondu. J'en avais marre de l'amour que les garçons se portent à eux-mêmes. De leur absence d'imagination. Et je me suis promis qu'à l'avenir, non seulement je défendrais les filles, mais je leur donnerais des munitions.

.

Après que vous vous êtes laissés, ta blonde et toi, j'ai été saisie d'un vertige. Je n'avais jamais pensé à toi comme à l'homme de ma vie. Devant ce renversement, ma première réaction a été de penser que c'était impossible puisque tes livres exultaient quand les miens ressassaient une matière mélancolique.

.

Lorsqu'on s'afficherait finalement ensemble, l'incrédulité déformerait les visages de nos amis écrivains, que je m'empresserais de rassurer : « Au début, moi non plus, je ne comprenais pas. »

.

La voyante m'avait pourtant déconseillé de me fier aux apparences. Dans ton cas, les apparences, c'était l'image qu'en lisant tes livres, je me faisais de toi.

.

Je parlais plus haut de la joie qu'on éprouve quand revient une forme connue. La tache de naissance d'Ulysse, l'assassin démasqué à la fin d'un *whodunnit*, le cri est chaque fois le même : « C'est lui ! »

Ce livre se terminerait au moment où je verrais en toi l'homme de ma vie.

.

À Montréal, chez Olivieri, tu étais grand, immense, impassible, comme un phare autour duquel des mouettes virevoltaient. Quand tu m'as vue entrer dans la cour, ton corps s'est tourné vers moi, ta lumière. Cela m'a rappelé la façon qu'ont les garçons au Japon d'exprimer leur désir.

.

À la recherche du temps perdu se conclut sur le désir du narrateur d'écrire un livre. On devine qu'il s'agit du livre dont on achève la lecture après des milliers de pages. Par la magie du passé antérieur, la promesse est déjà accomplie quand le désir qui l'a fait naître se voit finalement énoncé.

.

Parce que tu t'es reconnu en lisant mon manuscrit, l'histoire qu'il racontait est devenue vraie. Et dans une boucle parfaite, la littérature a triomphé de la réalité.

.

On aime toujours un monde en l'autre, et à travers toi, c'est la littérature que j'aime. Les livres qu'on écrit. Sa force d'enchantement. Tous les mondes en elle.

.

L'été avant mes trente-quatre ans, tu m'as envoyé un courriel pour me dire que tu venais à Québec siéger sur un jury. Est-ce que Marcel accepterait de partager le divan-lit avec toi ?

.

Soudainement, la perspective que cette histoire s'achève me terrorisait. Avant que tu arrives, j'essayais de me convaincre que tu n'étais qu'un ami. Tania n'était pas dupe. Pour me prouver que je me mentais à moi-même, elle m'a demandé si mes jambes étaient épilées. Elles l'étaient.

.

On a passé la nuit à bavarder en buvant un *Hôjicha* sur mon balcon. Je te racontais que j'avais prévu une virée à Saint-Jean-Port-Joli, où mon oncle, le colonel, avait un chalet. Quand il ne faisait pas des tours de F18, mon oncle taquinait la truite près de la frontière américaine. C'était mon seul plan pour l'été. Justement, tu serais en résidence à Saint-Jean-Port-Joli en juillet. Tu m'invitais à passer tout en me répétant que tu entendais profiter de ton célibat encore un an, peut-être deux.

Pendant ce temps, Marcel pissait sur tes vêtements. Il pisserait aussi sur le premier livre de Nathalie Quintane, le seul exemplaire de *Remarques* disponible au Québec, que j'avais fait venir de l'Université McGill et que tu avais feuilleté avec excitation.

.

À l'inverse de Picasso, je ne trouve pas : je tâtonne. Je pose des collets, j'attends. Je tends ma baguette dans l'espoir qu'elle tremble. Ma méthode est diablement lente. Mais jusqu'ici, elle a toujours porté fruit.

.

Cette nuit-là, dans mon lit, j'ai pensé que quelque chose n'allait pas. J'ignorais cependant quoi. Tout ce que je savais, c'est que mon corps s'agitait à l'idée que la journée se termine comme elle avait commencé.

J'ai retiré les draps d'un geste brusque et je me suis levée d'un bond, sans savoir ce que je m'apprêtais à faire. J'ai poussé la porte de ma chambre et, mon cœur palpitant, j'ai allumé le plafonnier du salon. Tu t'es redressé, aveuglé par la lumière, comme un homme que la police surprend la nuit, à son domicile, pour l'arrêter.

Je t'ai informé que tu serais mieux dans mon lit. Tu n'as pas résisté.

.

L'histoire que m'avait racontée la voyante, cette histoire interminable, mal ficelée, était finalement arrivée. Plutôt que de l'exaltation, l'accomplissement de cette prédiction m'a entraînée dans une certaine paranoïa. Je n'avais pas de preuve, en effet, que la chasse à l'homme était bel et bien terminée. Qu'est-ce qui me prouvait que ce que nous vivions, c'était de *l'amour* ? Que ferais-je si un autre écrivain se déclarait ? Si tu me quittais ? Ou si je me piquais d'un autre homme ? Ou d'une femme ? Qu'est-ce que cela signifiait, « homme de ma vie » ? À partir de quel moment saurais-je que notre amour était celui d'une *vie* ? L'histoire ne le disait pas.

.

Parce que tu souhaitais éviter les commérages, nous nous sommes cachés tout l'été. Nous sortions peu, mais si nous tombions sur quelqu'un que tu connaissais, tu me présentais comme ton amie de Québec.

Un jour, nous avons croisé Pierre Lapointe. Je ne l'avais pas reconnu sous son panama. Et pour la première fois, tu m'as présentée comme ta nouvelle blonde. Enfin ! ai-je pensé. Mais quand plus tard, la même journée, tu me présenterais à nouveau comme ta blonde à Sophie Desmarais, cachée derrière de grosses lunettes fumées, j'ai compris que tu ne révélais ton secret qu'à ceux de tes amis qui se baladaient, comme nous, incognito.

.

Il m'avait été plus facile de plier le monde à mes désirs que de croire à la réalité de l'amour. À partir du moment où tu t'es rendu à moi, j'ai craint sans cesse que cet amour ne m'échappe, que l'histoire bascule, que tu me révèles un autre visage, qui me déplairait.

C'est parce que je l'avais provoqué que je doutais de l'authenticité de notre amour.

Comme un chat, j'ai attendu que ton ex ait quitté le territoire pour mettre les pieds dans ton appartement. En septembre, la fenêtre de ta chambre serait grand ouverte quand, quelques minutes après mon arrivée, on entendrait dehors un bruit assourdissant.

J'avais oublié que ma mère m'avait suggéré de surveiller le ciel à Montréal : mon oncle, le colonel, enverrait des F18 survoler un match des Alouettes. Tu serais affolé quand bien même je crierais à pleins poumons : « C'EST MON MONONC' ! »

Cela faisait des mois que j'espérais un signe, quelque chose d'évident, une grande pétarade qui me ferait comprendre que c'était bien *toi*, l'homme de ma vie. Dans le sifflement des avions de chasse qu'avait commandés mon oncle, j'entendais distinctement les mots de Paul Auster : « C'est fini, Sophie... »

La quatrième fois que j'ai écrit ce livre, il avait pour titre *Chasse à l'homme*. J'avais trente-cinq ans, je passais l'été chez toi.

.

L'historien Carlo Ginzburg fait remonter à la société de chasseurs l'invention d'un modèle cognitif fondé sur l'observation et l'interprétation des traces. Pour le chasseur, ces traces (empreintes laissées par le gibier, déjections, touffes de poil, profondeur des sillons) révèlent la trajectoire de l'animal qu'il veut traquer.

.

Tu m'avais prêté un mur de ton atelier pour que je puisse épingler les éléments qui formeraient la trame de cette histoire : des cartes géographiques, le portrait-robot de l'homme de ma vie, ta carte de visite et celle du petit Japonais, ma carte d'employée de l'Université Sophia, les étapes du *Hero's Journey*, une lettre de Georges Didi-Huberman, des fiches sur lesquelles j'avais noté les ressorts de films policiers (« AFFAIRE NON

CLASSÉE »), des petites annonces de chiens à adopter, des polaroïds de Montréal, des chats, beaucoup de souliers, une carte postale de Geneviève Castrée sur laquelle des filles au même visage se noient dans le fleuve Saint-Laurent, un dessin de ma robe Isabel Marant, des phrases de Tania, de Madeleine (*On n'est pas du cheap romance !*), de Laure Conan, ma carte de la Bibliothèque nationale de France, mes billets d'avion, la page horoscope de *Vogue Paris* et quantité de choses qui n'ont pas survécu au tri, des signes qui ne brillaient que pour moi.

.

Le chasseur aurait été le premier à « raconter une histoire » parce qu'il était le seul capable de lire, dans les traces muettes [...] laissées par sa proie, une série cohérente d'événements.
— CARLO GINZBURG

.

Je suis un chasseur du paléolithique. Pour moi, le monde fait signe et je fais collection de petits bouts de réel. Parfois ce sont des souvenirs. Parfois ce sont des choses vues, un pont, une frange ou l'insistance des souliers dans ma vie. Je suis le Facteur Cheval : je vois dans le caillou un morceau du palais à venir.

.

Quand j'ai eu terminé, on discernait bien la somme que cela représentait, tous ces liens tissés, ces personnes rencontrées, le territoire parcouru, les indices reliés par un fil de couleur comme une constellation. Ce tableau de détective épinglé sur ton mur, cette chasse à l'homme sur trois continents, j'en saisissais enfin le sens.

.

Et Carlo Ginzburg de chanter cette « intuition basse » que partagent les chasseurs, les marins et leurs femmes, le joueur de poker et le marchand de chevaux, qui tous savent faire collection de détails sensibles grâce auxquels il leur est possible de lire et de raconter le réel.

.

J'ai voulu me dépêcher d'écrire ce livre avant que les traces ne s'effacent. La disparition des souvenirs ne poserait pas problème. Ce serait plutôt le contraire.

.

La quatrième fois que j'ai écrit ce livre, je me suis souvenue que le réel est un gibier qui charge plutôt que de se laisser capturer.

Des extraits de *Chasse à l'homme* ont été publiés dans les revues *Tristesse* (« Carreau pique cœur trèfle », *Tristesse*, n° 4, 2019) et *Contrejour* (« Manifeste », *Contrejour*, n° 30, 2013).

LISTE DES ŒUVRES CITÉES

Céleste Albaret et Gérard Belmont, *Monsieur Proust*, Paris, Robert Laffont, 1973, 455 p.

Nelly Arcan, *Folle*, Paris, Seuil, 2004, 204 p.

Mathieu Arsenault, *Album de finissants*, Montréal, Triptyque, 2004, 148 p.

Paul Auster, *Je pensais que mon père était Dieu*, trad. Christine Le Bœuf, Arles, Actes Sud, 2002, 460 p.

Pierre Bayard, *Demain est écrit*, Paris, Minuit, 2005, 156 p.

Roland Barthes, *Œuvres complètes*, éd. Éric Marty, Paris, Seuil, 2002, 5 vol.

Sophie Calle, *Douleur exquise*, Arles, Actes Sud, 2003, 264 p.

Sophie Calle, *Prenez soin de vous*, Arles, Actes Sud, 2007, 425 p.

Sophie Calle, *Où et quand ? : Berck*, Arles, Actes Sud, 2008, s.p.

Barbara Cooney, *La demoiselle aux lupins*, trad. Élisabeth Margot, Paris, Flammarion, 1983, 28 p.

Laure Conan, *Angéline de Montbrun* dans *La Revue Canadienne*, 1882-1883.

Chloé Delaume, *La règle du je*, Paris, P.U.F., 2010, 95 p.

Gilles Deleuze, *Proust et les signes*, Paris, P.U.F., 1976, 219 p.

Alain Farah, *Matamore n° 29*, Montréal, Le Quartanier, 2008, 208 p.

Romain Gary, *Les œuvres complètes d'Émile Ajar*, Paris, Mercure de France, coll. "Mille pages", 1991, 1024 p.

Carlo Ginzburg, « Signes, traces, pistes », *Le Débat*, n° 6, 1980, p. 3-44.

Pam Johnson-Bennett, *Comment penser chat*, trad. Julien Deleuze, Paris, Payot & Rivages, 2006, 557 p.

Tania Langlais, *Douze bêtes aux chemises de l'homme*, Montréal, Les Herbes Rouges, 2000, 97 p.

Hélène et Irène Lurçat, *Comment devenir une vraie Parisienne*, Paris, Parigramme, 2005, 112 p.

Catherine Mavrikakis, *Deuils cannibales et mélancoliques*, Laval, Trois, 2000, 200 p.

Wajdi Mouawad, « *Je suis le méchant !* » : *Entretiens avec André Brassard*, en coll. avec Sophie Létourneau, Montréal, Leméac, 2004, 165 p.

Marc-Antoine K. Phaneuf, *Cavalcade en cyclorama*, Montréal, Le Quartanier, 2013, 69 p.

Éric Plamondon, *Pomme S*, Montréal, Le Quartanier, 2013, 175 p.

Nadine de Rothschild, *Le bonheur de séduire, l'art de réussir : Le savoir-vivre au XXIe siècle*, Paris, Éditions de la Seine, 2003, 436 p.

Sôseki, *Oreiller d'herbes*, trad. René de Ceccatty et Ryôji Nakamura, Paris, Rivages, 1989, 169 p.

Polaroïds, Québec Amérique, 2006
Chanson française, Le Quartanier, 2013
L'été 95, Le Quartanier, 2013

DANS LA MÊME COLLECTION
RÉCIT

APOSTOLIDES, Marianne, *Voluptés,* 2015
(traduit de l'anglais par Madeleine Stratford)
CANTY, Daniel, *Les États-Unis du vent,* 2014
CANTY, Daniel, *La Société des grands fonds,* 2018
DROUIN, Marisol, *Je ne sais pas penser ma mort,* 2017
KAWCZAK, PAUL, *Un long soir,* 2017
LA CHANCE, Michaël, *Épisodies,* 2014
LAVOIE, Frédérick, *Allers simples : aventures journalistiques en Post-Soviétie,* 2012
LAVOIE, Frédérick, *Ukraine à fragmentation,* 2015
LAVOIE, Frédérick, *Avant l'après : voyages à Cuba avec George Orwell,* 2018
LEDUC-PRIMEAU, Laurence, *Zoologies,* 2018
LÉTOURNEAU, Sophie, *Chasse à l'homme,* 2020
OUELLET TREMBLAY, Laurance, *Henri de ses décors,* 2018
TREMBLAY, Larry, *L'œil soldat,* 2019
VOYER-LÉGER, Catherine, *Prendre corps,* 2018

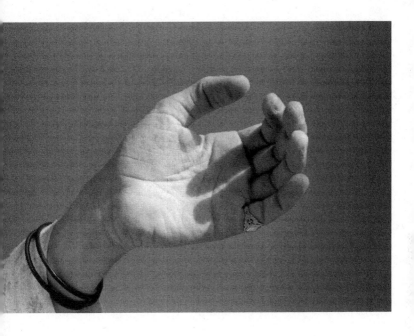

Raymonde April, *Main de Gérald*, 1990.

Extrait de *Mon regard est net comme un tournesol*, 2011,
épreuve à développement chromogène, 40,5 × 61 cm

La Peuplade a été fondée
par Mylène Bouchard
& Simon Philippe Turcot.

Design graphique et mise en page
Atelier Mille Mille

Direction littéraire
Mylène Bouchard

Édition
Mylène Bouchard & Paul Kawczak

Révision linguistique
Luba Markovskaia

Correction d'épreuves
Pierrette Tostivint

Photographie en couverture
Raymonde April
***Main de Gérald*, 1990**

Chasse à l'homme a été mis en page
en Lyon, caractère dessiné par Kai Bernau
en 2009 et en Din Next, caractère dessiné
par Akira Kobayashi en 2009.

Achevé d'imprimer en mai 2020
sur les presses de l'imprimerie Gauvin
à Gatineau (Québec, Canada)
pour les Éditions La Peuplade.